CB016518

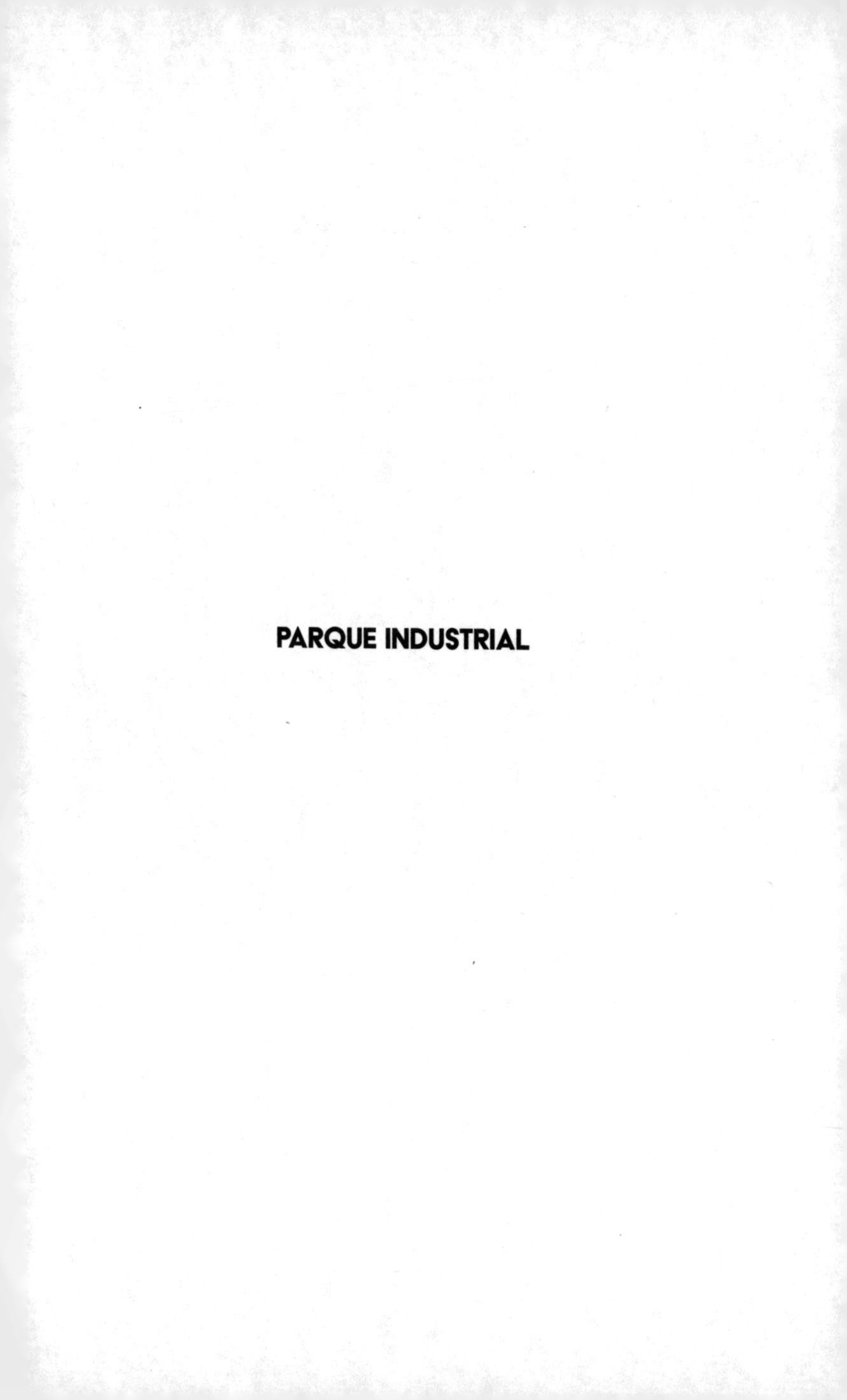

PARQUE INDUSTRIAL

PAGU

PARQUE INDUSTRIAL

Prefácio
Geraldo Galvão Ferraz

3ª reimpressão

Companhia Das Letras

Grafia atualizada segundo o Acordo Ortográfico da Língua Portuguesa de 1990, que entrou em vigor no Brasil em 2009.

Capa Elaine Ramos, inspirada no design da capa de Livio Abramo
Projeto gráfico Elaine Ramos
Preparação Leny Cordeiro
Revisão Carmen T. S. Costa e Marise Leal

Dados Internacionais de Catalogação na Publicação (CIP)
Câmara Brasileira do Livro, SP, Brasil

Galvão, Patrícia, 1910-1962
Parque industrial / Patrícia Galvão ;
prefácio Geraldo Galvão Ferraz. — 1ª ed. —
São Paulo: Companhia das Letras, 2022.

ISBN 978-65-5921-261-3

1. Ficção brasileira
I. Ferraz, Geraldo Galvão. II. Título.

21-87914 CDD B869.3

Índice para catálogo sistemático:
1. Ficção : Literatura brasileira B869.3

Maria Alice Ferreira - Bibliotecária - CRB-8/7964

EDITORA SCHWARCZ S.A.
Rua Bandeira Paulista, 702, cj. 32
04532-002 — São Paulo — SP
Telefone: (11) 3707-3500
www.companhiadasletras.com.br
www.blogdacompanhia.com.br
facebook.com/companhiadasletras
instagram.com/companhiadasletras
twitter.com/cialetras

PREFÁCIO[1]

Geraldo Galvão Ferraz

Patrícia Galvão foi a militante do ideal. Por toda a vida, colocou-se a serviço de ideias, ideologias e do progresso cultural, corporificando a noção de engajamento e envolvimento a um grau máximo. E sem que seu objetivo fosse aparecer, essa militância é que a tornou lenda, mesmo agora, passados 31 anos de sua morte.

Sim, em vida falavam dela. Os que a conheciam bem diziam que era uma mulher extraordinária, mas sua figura teve também reputação escandalosa, até pejorativa. Um exemplo? Quando foi traída pelo Partido Comunista, receoso de assumir a responsabilidade de incidentes no porto de Santos, em 1931, um documento do PC a chamou de "agitadora individual, sensacionalista e inexperiente". No entrevero com a polícia, ela recolhera o corpo agonizante do estivador negro Herculano de Souza, enfrentando a ca-

1 Esse texto foi originalmente publicado como prefácio à edição de 1994, da editora Mercado Aberto. (Esta e as demais notas do livro são da edição.)

valaria da ditadura. Foi nessa época a sua primeira prisão, por participar de um comício do Partido em homenagem a Sacco e Vanzetti. A "agitadora individual" etc. tornava-se assim a primeira mulher brasileira a ser presa política.

O romance proletário *Parque industrial* não deixou de contribuir para a lenda. Ela o terminou em 1932, publicou em 1933. Com um pseudônimo,[2] por causa do Partido. Um escândalo! Como alguém poderia dizer tantas verdades por linha, denunciando a vida dos humilhados e ofendidos da sociedade paulistana? Como alguém poderia mostrar a desigualdade inata das classes no sistema capitalista? Como alguém poderia ousar tanto, numa sociedade moralmente hipócrita, mostrando que havia perversões e corrupção, não se furtando às cenas sexualmente explícitas? A propósito, isso deve ter desagradado também os comunistas, em estado de policiamento moralizante. Como alguém se atrevia a estampar a linguagem das ruas? Finalmente, como alguém podia querer exaltar daquela forma a condição feminina?

O grande crítico da época, João Ribeiro, passou por cima do escândalo e, num artigo para o *Jornal do Brasil*, escreveu: "O romance de Mara Lobo é um panfleto admirável de observações e de probabilidades... uma série de quadros pitorescos e maravilhosos, desenhados com grande realismo... o livro terá inumeráveis leitores, pela coruscante beleza dos seus quadros vivos de dissolução e morte". Numa apreciação geral, diz o crítico: "Qualquer

2 Mara Lobo.

que seja o exagero literário desse romance antiburguês, a verdade ressalta involuntariamente dessas páginas veementes e tristes".

Um crítico de agora, o brasilianista americano Kenneth David Jackson, professor da Universidade do Texas, em Austin, salienta, num artigo sobre "Patrícia Galvão e o realismo social brasileiro dos anos 30":

> um importante documento social e literário, com uma perspectiva feminina e única do mundo modernista de São Paulo. Mara Lobo, como o lobo das estepes de Hermann Hesse, satiriza e critica a sociedade burguesa, embora com uma solução política e não humanística. Seu romance é o depoimento de alguém que estava por dentro da hipocrisia e da riqueza irresponsável dos estágios iniciais da industrialização de São Paulo, através dos círculos modernistas dos quais ela participava.

Ao falar de "documento social e literário", Jackson dá a medida exata de como *Parque industrial* deve ser lido hoje. O romance, de valor estético absolutamente desigual, prejudicado pelo panfletarismo e, talvez, pela inexperiência vivencial da jovem de 21 anos que o escreveu, é contudo um caso singular no quadro do romance social dos anos 1930, por se fixar na vida proletária de uma grande cidade, usando a perspectiva marxista-leninista para fustigar os aspectos dolorosos do desenvolvimento industrial. Outro ponto de vista do leitor de hoje poderia, já mais especificamente, ser a leitura comparativa de

Parque industrial com *Serafim Ponte Grande*, de Oswald de Andrade (obviamente o modelo para Alfredo Rocha, o mais importante personagem masculino de *Parque*). Essa leitura poderia contribuir para, como diz Jackson, "esclarecer e iluminar o agressivo prefácio de Oswald em *Serafim*", aliás publicado no mesmo ano.

Para o leitor contemporâneo de *Parque industrial*, o romance poderá parecer ingênuo, mas não deixará de envolvê-lo com o que tem de generoso e sincero (comprovando isso, Patrícia Galvão — como fez Simone Weil, vide *A condição operária* — tornou-se operária para assumir a luta de classes na linha de frente). E esta edição, quase a primeira, pois a de 1933 foi praticamente artesanal, talvez contribua para uma visão melhor das intenções de Patrícia Galvão como militante do ideal.

Essa militância iniciou-se já nos tempos em que cursava a Escola Normal da praça da República, quando a rebeldia contra os padrões fazia com que se destacasse no grupo das normalistas. Ao contrário do que diz a lenda, Patrícia Galvão não participou da Semana de 22 (tinha doze anos na época), mas em 1929 fez parte do movimento da Antropofagia, na ala dissidente, esquerdista de Oswald, Raul Bopp, Osvaldo Costa e Geraldo Ferraz, oposta à ala católica de Mário de Andrade, Alcântara Machado e Yan de Almeida Prado.

Jornalista aos vinte anos, entrevista Prestes na fase pré-comunista, o líder da Coluna. Empolgada pela militância política, ela não é atraída pela "revolução popular" de Prestes, mas ingressa no Partido Comunista ao voltar para o Brasil. Depois da prisão e de *Parque industrial*, ela faz uma viagem de volta ao mundo, mandando reportagens para jornais do Rio e de São Paulo. Passa pelos Estados Unidos, pelo Japão, pela Manchúria (onde presencia a coroação do imperador Pu-Yi, que lhe dá as sementes de soja que introduziriam essa cultura no Brasil); na viagem à China, entrevista um passageiro ilustre do navio, Sigmund Freud. Entra na Europa pelo trem Transiberiano (oito dias de viagem); de Moscou, vai à França e, ao passar por Berlim, pede aos membros da Gestapo que a vigiam como "suspeita" (pois viera de Moscou) que a deixem descer do trem para ter ao menos a experiência de tomar um chope alemão...

Em Paris, usando o codinome de Léonie, entra para o PC francês; amiga de Aragon, Breton, Éluard, Péret, acaba presa pelo governo Laval. Diante de um Conselho de Guerra ou da deportação para a Itália fascista ou a Alemanha nazista (o que obviamente equivaleria à morte certa em qualquer dos casos), foi salva pelo embaixador Souza Dantas, voltando então ao Brasil. Presa novamente devido ao movimento de 1935, fica na cadeia até 1940.

Desliga-se do Partido Comunista e, em 1945, faz parte da equipe do combativo jornal *Vanguarda Socialista*. No mesmo ano, publica o romance *A famosa revista*, juntamente com Geraldo Ferraz. Sua militância volta-se, então, após uma candidatura a deputada pelo Partido Socialista Brasileiro, para a esfera cultural. Faz, então, a primeira tradução brasileira de Ionesco, frequenta a Escola de Arte Dramática, em 1952, luta pela construção de um teatro em

Santos (onde morou em seus últimos anos), traduz e dirige a peça *Fando e Lis*, de Arrabal (então um perfeito desconhecido no Brasil), serve como mola mestra da formação dos grupos amadores e estudantis do teatro santista, enquanto não deixa de dar seu testemunho à imprensa sobre coisas da vida e da cultura (teve até uma coluna pioneira de televisão no jornal *A Tribuna* de Santos, assinada "Gim"). Patrícia Galvão, Mara Lobo, Pagu, Gim, a mulher lenda, a militante do ideal, morreu a 12 de dezembro de 1962. Nada melhor do que essa nova edição de *Parque industrial* para trazer um pouco dela de volta.

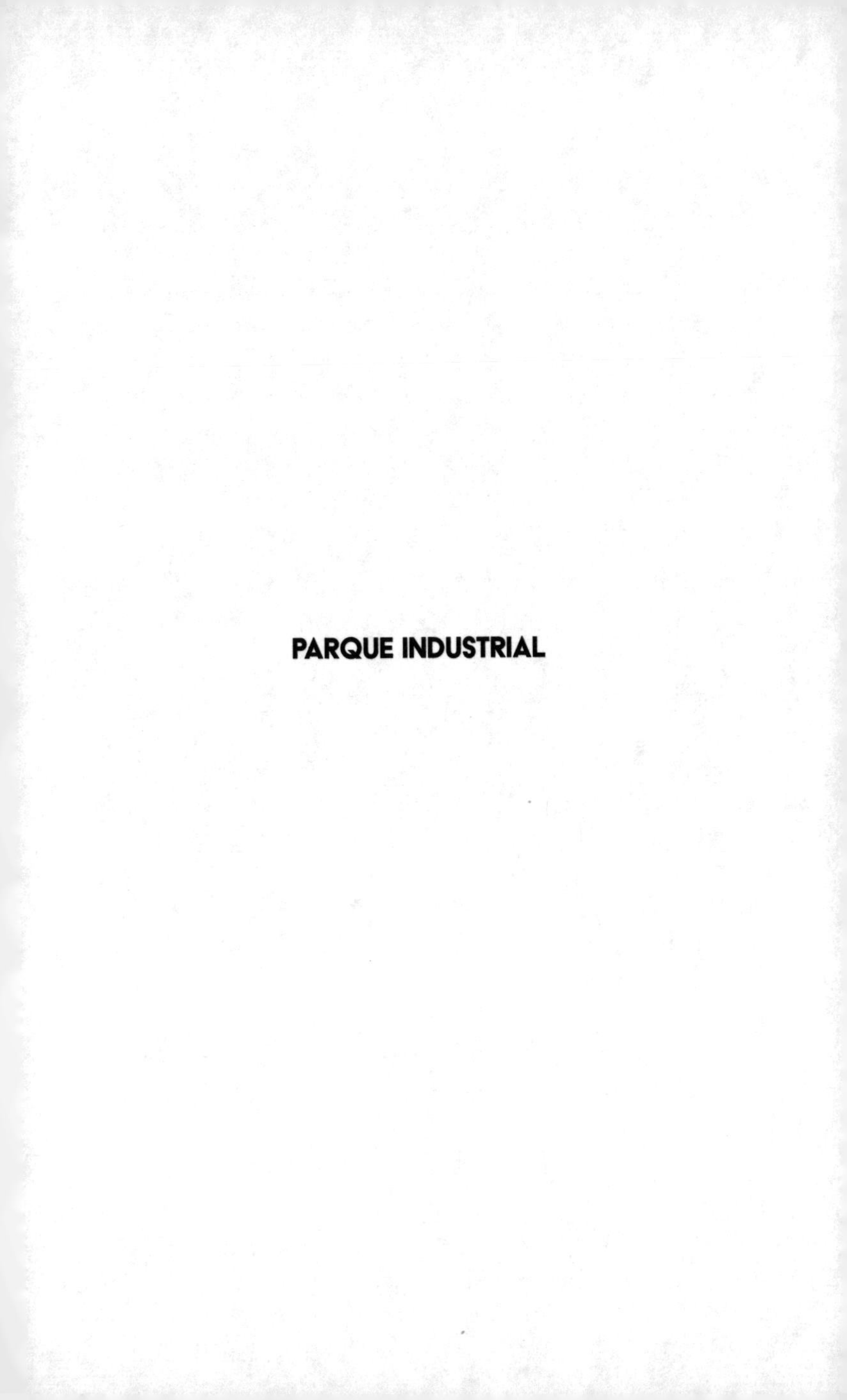

PARQUE INDUSTRIAL

TEARES

São Paulo é o maior parque industrial da América do Sul: o pessoal da tecelagem soletra no cocoruto imperialista do "camarão"[3] que passa. A italianinha matinal dá uma banana pro bonde. Defende a pátria.

— Mais custa! O maior é o Brás!

Pelas cem ruas do Brás, a longa fila dos filhos naturais da sociedade. Filhos naturais porque se distinguem dos outros que têm tido heranças fartas e comodidade de tudo na vida. A burguesia tem sempre filhos legítimos. Mesmo que as esposas virtuosas sejam adúlteras comuns.

A rua Sampsom se move inteira na direção das fábricas. Parece que vão se deslocar os paralelepípedos gastos.

3 Os primeiros bondes elétricos fechados, com portas para facilitar o controle do pagamento das passagens e geralmente pintados de vermelho, chegaram ao Brasil no final dos anos 1920 e foram logo apelidados de "camarões".

Os chinelos de cor se arrastam sonolentos ainda e sem pressa na segunda-feira. Com vontade de ficar para trás. Aproveitando o último restinho de liberdade.

As meninas contam os romances da véspera, espremendo os lanches embrulhados em papel pardo e verde.

— Eu só me caso com um trabalhador.

— Sai azar! Pra pobre basta eu. Passar a vida inteira nesta merda!

— Vocês pensam que os ricos namoram a gente a sério? Só pra debochar.

— Eu já falei pro Brálio que se é deboche, eu escacho ele.

— O Pedro está ali!

— Está te esperando? Então deixa eu cair fora!

O grito possante da chaminé envolve o bairro. Os retardatários voam, beirando a parede da fábrica, granulada, longa, coroada de bicos. Resfolegam como cães cansados, para não perder o dia. Uma chinelinha vermelha é largada sem contraforte na sarjeta. Um pé descalço se fere nos cacos de uma garrafa de leite. Uma garota parda vai pulando e chorando alcançar a porta negra.

O último pontapé na bola de meia.

O apito acaba num sopro. As máquinas se movimentam com desespero. A rua está triste e deserta. Cascas de bananas. O resto de fumaça fugindo. Sangue misturado com leite.

▪

Na grande penitenciária social os teares se elevam e marcham esgoelando.

Bruna está com sono. Estivera num baile até tarde. Para e aperta com raiva os olhos ardentes. Abre a boca cariada, boceja. Os cabelos toscos estão polvilhados de seda.

— Puxa! Que este domingo não durou... Os ricos podem dormir à vontade.

— Bruna! Você se machuca. Olha as tranças!

É o seu companheiro de perto.

O chefe da oficina se aproxima, vagaroso, carrancudo.

— Eu já falei que não quero prosa aqui!

— Ela podia se machucar...

— Malandros! É por isso que o trabalho não rende! Sua vagabunda!

Bruna desperta. A moça abaixa a cabeça revoltada. É preciso calar a boca!

Assim, em todos os setores proletários, todos os dias, todas as semanas, todos os anos.

Nos salões dos ricos, os poetas lacaios declamam:

— Como é lindo o teu tear!

▪

— Vá lá na latrina que a gente conversa.

A moça pede:

— Dá licença de ir lá fora?

— Outra vez?

— Estou de purgante.

As paredes acima do mosaico gravam os desabafos dos operários. Cada canto é um jornal de impropérios contra os patrões, chefes, contramestres e companheiros vendidos. Há nomes feios, desenhos, ensinamentos sociais, datiloscopias.

Nas latrinas sujas as meninas passam o minuto de alegria roubada ao trabalho escravo.

— O chefe disse que agora só pode vir de duas em duas!

— Credo! Você viu quanta porcaria que está escrito?

— É porque aqui antes era latrina dos homens!

— Mas tem um versinho aqui!

— Que coisa feia! Deviam apagar...

— O que quer dizer esta palavra "fascismo"?

— Trouxa! É aquela coisa do Mussolini.

— Não senhora! O Pedro disse que aqui no Brasil também tem fascismo.

— É a coisa do Mussolini sim.

— Na saída a gente pergunta. Chi! Já está acabando o tempo e eu ainda não mijei!

Cavalga a bacia baixando as calças de morim.

Duas outras operárias chegam, batem na porta com força.

— Agora é a nossa veiz!

— Desgraçado! Me deu nó nas carça! Vê si você me desmancha.

▪

Saem para o almoço das onze e meia. Desembrulham depressa os embrulhos. Pão com carne e banana. Algumas esfarelam na boca um ovo duro.

Três negrinhas leem no *Braz Jornal* a página dos namorados.

Na grade ajardinada um grupo de homens e mulheres procura uma sombra. Discutem. Há uma menina calorosa. As outras lhe fazem perguntas.

Um rapazinho se espanta. Ninguém nunca lhe dissera que era um explorado.

— Rosinha, você pode me dizer o que a gente deve fazer?

Rosinha Lituana explica o mecanismo da exploração capitalista.

— O dono da fábrica rouba de cada operário o maior pedaço do dia de trabalho. É assim que enriquece às nossas custas!

— Quem foi que te disse isso?

— Você não enxerga? Não vê os automóveis dos que não trabalham e a nossa miséria?

— Você quer que eu arrebente o automóvel dele?

— Se você fizer isso sozinho, irá para a cadeia, e o patrão continuará passeando noutro automóvel. Mas, felizmente, existe um partido, o partido dos trabalhadores, que é quem dirige a luta para fazer a revolução social.

— Os tenentes?

— Não! Os tenentes são fascistas.

— Então o quê?

— O Partido Comunista...

▪

Novamente as ruas se tingem de cores proletárias. É a saída da fábrica.

Algumas têm namorados. Outras, não. Procuram. Mães

saem apressadas para encontrar em casa os filhos maltratados que nenhum gatuno quer roubar.

A limousine do gerente chispa espalhando o pessoal. Uma menina suja alisa o paralama com a mão chupada.

Rosinha passa um pente desdentado nos cabelos que esvoaçam. Ao seu lado vai um bandinho. Uma garota terna lhe envolve a cintura com braços morenos. É Matilde, filha da Céo, que começou na vida e agora está na ribalta.

— Por que você não entra no sindicato?

Matilde brinca com os cachos.

— Eu vou entrar na Escola Normal. Mamãe não quer que eu trabalhe mais.

Uma menina corada, cheia de animação, relata.

— Se você conhecesse o Miguetti... O que ele mandar fazer, eu faço! Você não acha, Rosinha?

— Vamos ver na reunião, esta noite. Você precisa saber quem é o Miguetti.

TRABALHADORAS DE AGULHA

Rua Barão de Itapetininga. Sorvetes e modelos falsos no meio-dia de costureiras.

Em frente à Viennense, grandes vitrinas aveludadas onde uma echarpe se perde.

Elas têm uma hora para o lanche. Madame saiu de automóvel com o gigolô.

Na rua movimentada, cabecinhas loiras, cabecinhas crespas, saias singelas.

Otávia se apressa. Atravessa a rua entre ônibus, entra num café expresso, pega a xícara encardida, toma rapidamente o café. Agora, a um canto, diante de um sanduíche duro, folheia um livro sem capa. Não percebe a população flutuante do bar que olha para ela.

— Otávia!

— Você sumiu, Rosinha! E a fábrica?

— Desmascaramos o contramestre quando queria furar

a greve. Me botaram na rua. Uns dias de fome... Me chamou de criança industriada! Filho da mãe!

— Pega sanduíche.

— Agora estou na Ítalo.

▪

Corina é a última a voltar ao ateliê. Um largo cinto de oleado arde, vermelho, no mesmo vestido de sempre, velho.

A boca farta de beijos. O bronze de sua cabeça saturada de alegria está mais bronzeado. As pernas se alçam, com rasgões nas meias, sobre saltos descomunais.

Traz um braseiro nas faces e um lenço novo, futurista, no pescoço.

O barulho das máquinas de costura recomeça depois do lanche. No quarto escurecido por gobelins, as doze mãos têm por par um pedaço de pijama separado.

Madame, enrijecida de elásticos e borrada de rímel, fuma no âmbar da piteira o cigarro displicente. Os olhos das trabalhadoras são como os seus. Tingidos de roxo, mas pelo trabalho noturno.

— O meu pijama é para amanhã. Vai ser um colosso de intimidade a minha festa! Vou fazer furor aparecendo de pijama aos convidados! Vou ser a iniciadora das noites íntimas. Os jornais hão de falar. O primeiro time vai gozar!

Numa inveja deslumbrada da festa a que não pode assistir, a modista na loja escancara a platina dos dentes remendados.

Uma menina pálida atende ao chamado e custa a dizer que é impossível terminar até o dia seguinte a encomenda.

— Que é isso? — exclama a costureira, empurrando-a com o corpo para o interior da oficina.

— Você pensa que vou desgostar mademoiselle por causa de umas preguiçosas? Hoje haverá serão até uma hora.

— Eu não posso, madame, ficar de noite. Mamãe está doente. Eu preciso dar o remédio pra ela.

— Você fica! Sua mãe não morre por esperar umas horas.

— Mas eu preciso!

— Absolutamente. Se você for é de uma vez.

A proletária volta para o seu lugar entre as companheiras. Estremece à ideia de perder o emprego que lhe custara tanto arranjar.

Madame corre de novo acompanhando a freguesa que salta para um automóvel com um rapaz de bigodinho.

As seis costureirinhas têm olhos diferentes. Corina, com dentes que nunca viram dentista, sorri lindo, satisfeita. É a mulata do ateliê. Pensa no amor da baratinha[4] que vai passar para encontrá-la de novo à hora da saída. Otávia trabalha como um autômato. Georgina cobiça uma vida melhor. Uma delas murmura, numa crispação de dedos picados de agulha, que amarrotam a fazenda.

— Depois dizem que não somos escravas!

■

4 Inicialmente o termo se referia ao automóvel Ford 1929, apelidado de "baratinha", mas depois passou a ser usado para outros carros de pequeno porte nos anos 1930.

O largo da Sé é uma gritaria. Voltam cansadas para os seus tugúrios as multidões que manipulam o conforto dos ricos.

Os jornais burgueses gritam pela boca maltratada dos garotos rasgados os últimos escândalos.

O camarão capitalista escancara a porta para a vítima que lhe vai dar mais duzentos réis, destinados a Wall Street.

O bonde se abarrota. De empregadinhas dos magazines. Telefonistas. Caixeirinhos. Toda a população de mais explorados, de menos explorados. Para os seus cortiços na imensa cidade proletária, o Brás.

O camarão para ofegando, segue. Otávia, Rosinha Lituana, Corina, Luiz, Pepe.

Luiz e Pepe são caixeiros de camisaria na rua Direita.

Otávia não perde um momento. Lê. É um livro de propaganda. Simples como uma criança. Cruza as pernas infantis nas meias ordinárias.

Rosinha Lituana acompanha a integração revolucionária da companheira e passeia os olhos pelos bancos. Corina é a única isolada, de olhos fechados. A cabeça pintada, na boina azul. Acha pau o proselitismo das outras. Julga a vida um colosso!

Uma criança lambuzada de açúcar esfrega um doce na boca sem dentes.

O vento faz voar todos os cabelos do bonde.

Corina acorda na rua Bresser. Desce. Sorri para as colegas de oficina. Vai para a Vila Simione. Há rapazes na esquina. Os olhos descem, procuram-lhe as pernas boas.

Pepe gosta de Otávia.

— Você vai hoje no Mafalda?[5] É sessão das moças. Dão o Ricardo Bartélmes!

— Não posso. Trabalho de noite.

— Que pena!

Separam-se nas portas vizinhas da rua João Boemer.

■

— Cadê o dinheiro, Corina?

— Gastei.

— O Florino te pega.

Corina pensa no amigo repugnante da mãe.

— Eu já estou cansada de trabalhar para um pau-d'água que não é meu pai. Preciso comer logo e voltar para a oficina.

— Não tem jantar.

— E o dinheiro do gramofone?

Florino, bêbado e gordo, aparece no portão da vila. O ventre muda de lugar, balançando. Agita a bengala de pau. Quer dar nos moleques que o seguem. Não acerta. Os garotos infernais desejam que ele caia.

— Bêbado! Bêbado!

Duas mãos nodosas agarram o pescoço da mulata velha. Corina esconde a cena com a porta. Está acostumada. Sai. Modifica o batom, sorrindo no espelho da bolsa. Toma o 14.

A rua vai escorrendo pelas janelas do bonde.

5 O Theatro Mafalda, então localizado no Brás, em São Paulo, era uma pequena casa de espetáculos que também exibia filmes.

■

— Vou sim! Mas amanhã levo pito na oficina.

A garçonnière de Arnaldo abre para ela o seu segredo desejado. Mais uma no divã turco.

Também tanta gulodice! Tanta coisa gostosa para aquele estômago queimando de jejum. Uma garrafa aberta. É tão simples. Uma cabeça inexperiente nos almofadões, sonolenta. As bocas sexuais se chupam. As pernas se provocam.

Choro súbito e toilette. Arrependimento, medo, carícias.

Corina acha o amante frio na despedida.

— Não conte para ninguém.

Choro na oficina. As outras pensam que é por causa do padrasto terrível.

■

Rosinha Lituana e Otávia se separam na porta enorme e movimentada da Fábrica de Sedas Ítalo-Brasileira.

— Cháo!

— Mesmo que custe a vida...

— Que importa morrer de bala em vez de morrer de fome!

EM UM SETOR DA LUTA DE CLASSES

— Nós não temos tempo de conhecer os nossos filhos!

Sessão de um sindicato regional. Mulheres, homens, operários de todas as idades. Todas as cores. Todas as mentalidades. Conscientes. Inconscientes. Vendidos.

Os que procuraram na união o único meio de satisfazer as suas reivindicações imediatas. Os que são atraídos pela burocracia sindical. Os futuros homens da revolução. Revoltados. Anarquistas. Policiais.

Uma mesa, uma toalha velha. Uma moringa, copos. Uma campainha que falha. A diretoria.

Os policiais começam sabotando, interrompendo os oradores.

É um cozinheiro que fala. Tem a voz firme. Não vacila. Não procura palavras. Elas vêm. Os cabelos nos olhos bonitos. Camisa de meia suada, agita as mãos enérgicas. Estão manchadas pelas dezenas de cebolas picadas diariamente no restaurante rico onde trabalha.

— Nós não podemos conhecer os nossos filhos! Saímos de casa às seis horas da manhã. Eles estão dormindo. Chegamos às dez horas. Eles estão dormindo. Não temos férias! Não temos descanso dominical!

À voz da verdade, todos se agitam nos bancos duros. A sala toda sua.

— Vamos parar com isso! Você pediu para falar cinco minutos. Já está falando há meia hora. Acabamos amanhecendo aqui!

Todos se voltam. É o policial Miguetti que interrompeu.

— Amanheceremos aqui! — revida pausadamente o cozinheiro. — Estamos tratando de coisas importantes para a nossa classe. Valem bem um sono perdido. Como posso dormir sabendo que meus filhinhos sofrem fome? E eu cozinhando todo dia tanta petisqueira para os ricos!

O policial pede de novo o encerramento da reunião que se alonga empolgada.

— Tenho que trabalhar amanhã. E todos os companheiros presentes também.

A palavra de um ferreiro bate energicamente na assembleia.

— O companheiro Miguetti luta por um interesse individual e quer sacrificar o interesse coletivo. Está sabotando a reunião. Nos impede de falar. Está fazendo uma obra policial, contra os interesses de nossa classe. A favor da burguesia que nos explora! A assembleia resolverá.

A maioria ordena que se continue a reunião. Os operários conhecem e apontam os policiais. Também são trabalhadores. Corrompidos pela polícia burguesa, traidores da sua classe. De seus próprios interesses.

Um operário da construção civil grita:

— Nós construímos palácios e moramos pior que os cachorros dos burgueses. Quando ficamos desempregados, somos tratados como vagabundos. Se só temos um banco de rua para dormir, a polícia nos prende. E pergunta por que não vamos para o campo. Estão dispostos a nos fornecer um passe para morrer de chicotadas no "mate-laranjeira"!

Uma operariazinha envelhecida grita:

— Minha mãe está morrendo! Ganho cinquenta mil-réis por mês. O senhorio me tirou tudo na saída da oficina. Não tenho dinheiro para remédio. Nem para comer.

Rosinha Lituana e Otávia estão espremidas numa cadeira só. Perto delas um menino pardo escancara os olhos claros. Parece que sente tudo o que falam.

Na cidade, os teatros estão cheios. Os palacetes gastam nas mesas fartas. As operárias trabalham cinco anos para ganhar o preço de um vestido burguês. Precisam trabalhar a vida toda para comprar um berço.

— Isso tudo é tirado de nós. O nosso suor se transforma diariamente no champanhe que eles jogam fora!

INSTRUÇÃO PÚBLICA

Escola Normal do Brás. Reduto pedagógico da pequena burguesia. O estudo não é muito caro. Os pais querem que as filhas sejam professoras, mesmo que isso custe comer feijão, banana e broa todo dia.

O prédio grande, amarelo e sujo. O jardim de formigas do jardineiro José. Eternas serventes. O porteiro bonito que estuda direito. O secretário anão e poeta. As professoras envelhecendo, secando. Os lentes sem finalidade. O sorveteiro. O amendoim torrado. As meninas entrando, saindo. Bem-vestidas. Malvestidas. As bem-vestidas são as filhas dos médicos do Brás, e a Matilde, a filha daquela girl do Arruda. Todas acham-na bonita. Tem o sorriso triste. Os olhos muito verdes. As coxas aparecendo sob o jérsei curtíssimo. Paga sorvete para todas. Cada lanche! Como corista ganha! Mas ela não conta pra ninguém que já trabalhou na fábrica.

Línguas maliciosas escorregam nos sorvetes compridos. Peitos propositais acendem os bicos sexualizados no suéter de listras, roçando.

O caixeirinho de calçados morde de longe.

Clélia, a portuguesinha chique, lisa como uma tábua, sorri na boca enorme para um estudante rico.

— Fedorzinho! Não se enxerga.

— Deixa de história. É o José Mojica em pessoa. Principalmente com a camisa alta.

— Outro dia encontrei ele em Santana com a Dirce.

— Ah! Você sabe que o pai encontrou ela em uma casa de tolerância na rua Aurora? Com um homem casado...

— Quem é que não sabe? Por isso que ela não tem vindo. Diz que ele vai botar ela no Bom Pastor.

— Por isso é que as normalistas têm fama. Desmoralizam a gente.

— Ora, vai saindo! Ela foi examinada e é virgem. Ela não faz mais do que você no Recreio Santana e do que eu no Santo Amaro.

— Mas eu nunca entrei num quarto...

— Olha lá o decote da Edith. Ela vem assim só para mostrar os peitos na aula de desenho.

Os bigodinhos estacionam nas esquinas. O diretor não quer estragar o nome da escola com o escândalo diário dos pares amorosos. Nenhum homem pode parar perto do portão. Mas as saias azuis se enroscam nas esquinas.

▪

Eleonora, da Normal, beija a Matilde, que entrou de novo. Como um homem.

O sino pesado chama na mão do porteiro.
— Bom dia, seu Carlos!
— Bom dia, Branquinha!
Não trata ninguém de dona. O bando azul e branco caminha pelo roseiral maltratado até a escada grande. As mãos custam a se despregar nos corredores.
— Entrem... Entrem...
— Só mais um sorvete, seu Carlos!
Sobem aos grupos, abraçadas.
— Se você visse que suco o vesperal do Tennis!
— Eu não tinha vestido, senão ia ao Teyçandaba.
— Eu fui ao Politeama.
— Vá saindo. Com aquela cafajestada!
— Você viu a *Cinearte*[6] de hoje? Fala do cinema russo...
— Escuta! Você sabe o que é o comunismo?
— Não sei nem quero saber.
Todas entram. Uma chega atrasada. Desce do bonde e corre. Seios apontando. Bonita pra burro! Cabelos muito loiros. Muito lisos.
— Então, Eleonora? Você se casa mesmo?
— No dia da minha formatura!
Os professores penetram nas classes depois de falar muito sobre a crise. Sovadinhos. Recalcados. No meio de tanta menina coxuda e bonita.

▪

— Puxa! Nem acredito que já acabou essa droga!

6 Revista especializada em cinema publicada entre 1926 e 1942.

— Me empresta a esponja?

— Não vá gastar todo o pó de arroz.

— Vamos ao Coli? O Alfredo paga!

— Então vá sozinha!

— Não seja besta, Matilde. Eleonora conversa e nós comemos.

Na confeitaria tradicional das normalistas, Alfredo Rocha, moço rico, beija as mãos da noiva. Acha uma graça infinita nas colegas glutonas de Eleonora. Paga. Despede-se. O carro se afasta espalhafatosamente. Os olhos cobiçosos das meninas os seguem.

O corpo de Eleonora se arrepia ao contato macho.

— Para a Penha, André!

O carro chique desemboca numa multidão esfomeada que carrega cartazes pela avenida proletária. "Queremos pão e trabalho!" São os desempregados, que em todas as ruas do mundo capitalista manifestam.

Alfredo deixa Eleonora como que empolgado. Sussurra.

— Olha quem vai tomar conta da terra!

Chegam. Uma casinha muito feia.

— Por que você me traz aqui?

Ela nunca pensara em ceder completamente. Daria tudo, menos a virgindade. Assim, ele se casaria. Ela não seria trouxa como as outras.

■

Abatida, de olhos úmidos. Ele aperta ainda o corpo machucado.

— Choras?

— Claro que não.

— Vais te casar com um homem rico...

Ela não acredita em mais nada. Não fala nada.

Ficou no seu sobradinho ajardinado da rua Bresser. Ele vai para um apartamento caro que ocupa no Esplanada.

O pai de Eleonora ganha seiscentos mil-réis na repartição. Fora os biscates. A mãe fora educada na cozinha de uma casa feudal, de onde trouxera a moral, os preceitos de honra e as receitas culinárias. Sonham para a filha um lar igual ao deles. Onde a mulher é uma santa e o marido bisa paixões quarentonas.

— Enquanto Nora não se casar, eu não sossego.

Uma preta ajuda o serviço da casa.

Na paz doceira do aniversário, aparecem os amigos e parentes. O secretário da escola. O padrinho deputado. E aquela tia animal e moralista, apertando os travesseiros da gordura na poltrona verde e arrotando chopes.

Eleonora entra fatigada, recompondo as pernas que se deram.

Depois das tortas, é obrigada a declamar para os presentes uma trova cheia de guizos do poeta paulista Pirotti Laqua.

— A bênção, papai!

— Deus te abençoe, minha filha.

Eleonora adormece pensando. Está tudo certo. Aquele ela não pegará mais. É tratar de esconder dos pais e arranjar um trouxa!

■

Mas não foi preciso. Eleonora casou no juiz com o rico herdeiro que ambicionava. Agora é madame Alfredo Rocha. Agora vai para a sociedade. Passa com ele as portas de ouro da grande burguesia.

Lá dentro, na cidadela isolada do alto feudalismo brasileiro e no valhacouto que vive do suor destilado pelo Parque Industrial há condes progressistas e reizinhos rurais casados com contrabandos da Migdal.[7] Capitalistas seduzem criadas. Condessas romanticamente amam tratadores de cavalos.

— Vais ter a tua primeira desilusão. Vamos à festa do conde Sgrimis.

— Quem é?

— O "conde verde", o rei das indústrias de transformação.

A burguesia combina romances medíocres. Piadas deslizam do fundo dos almofadões. Saem dos arrotos de champanhe caro. O caviar estala nos dentes obturados.

Da parede central, um Chirico trágico espia sem olho a espádua nua que Patou[8] despiu no vestido da anfitriã.

Dona Finoca, velhota protetora das artes novas, sofre os galanteios de meia dúzia de principiantes.

7 A organização criminosa polonesa Zwi Migdal era responsável pelo tráfico de mulheres do Leste Europeu, sobretudo judias, para países como Brasil e Argentina.

8 Refere-se a Jean Patou (1887-1936), conhecido costureiro e fabricante de perfumes francês.

— Como não hei de ser comunista, se sou moderna?

Os smokings brancos se aprumam na noite tropical, empalidecendo os topázios dos punhos de seda.

Nos jardins, os cônjuges se trocam. É o "culto da vida", na casa mais moderna e mais livre do Brasil. Ninguém vê o "conde verde".

Eleonora, ao contrário do que pensara Alfredo, está maravilhada. Tanta inteligência e tanta elegância! É cortejada. Admiradores insistentes. Luxo. Joias faiscantes. O ponche gostoso que ela nunca suspeitara existir. Zanga-se quando Alfredo quer sair, paulificado.

Ele sobe no automóvel atrás dela, gritando.

— Abomino esta gente! Estes parasitas. E sou um deles!

Ela lhe comunica que todas as amigas novas reprovam eles viverem num hotel.

— A Lolita Cintra acha que você tem dinheiro bastante para me dar mais conforto.

— Você não acha confortável o Esplanada? Já? Desculpe! Pensei que tinha me casado com uma normalista do Brás!

— Alfredo! Você me ofende...

— Bem! Vamos mudar de assunto.

— Ela vai me mostrar no Pacaembu uma casinha futurista. Para um casal...

— Sei. Custa duzentos contos! É do Tinoco...

— Mas é para as visitas, Alfredo! Para podermos dar festas. No Carnaval...

— No Carnaval eu vou para o Brás...

— Para o Brás eu não volto.

— É chique! Você vai.

ÓPIO DE COR

— Não tem mais papel de seda em nenhuma venda. Já fui no seu Domingos e no seu Fernando. Só se a gente for na avenida.

Todas as operárias se pintam. Estragam a cara esfregando papel vermelho e cuspe.

— Vamos para a avenida! Anda, gente!

— Vou botar pó de arroz na cabeça...

— Quer fazer uma vaca pra comprar lança-perfume?

— Eu não. O meu bigodinho me dá.

Cadeira na rua. Caixotes. Italianas gordas. Comadres escancaradas nas sarjetas. Os colos de aventais azuis de pintas e babados com amendoins. Meninos grandes chupam as mamas de quilos.

O confete vai da cabeça pro chão. Do chão pra cabeça.

— Olha o bando! Olha o bando! Chiquita!

As meninas atiram-se como gatas pegando os rolos de serpentina. Os sexos estão ardendo. Os grilos estrilam nos sinais. Os burgueses passam nos carros concordando que o Brás é bom no Carnaval.

No Colombo, as damas brancas, pretas ou mulatas, como as meninas fugidas de casa, não pagam entrada.

— Alerta, rapaziada maxixeira!

Um urso vende serpentina nos estribos dos carros em movimento. Mocinhas urram histericamente com medo do bicho.

Todas as meninas bonitas estão sendo bolinadas. Os irmãozinhos seguram as velas a troco de balas. A burguesia procura no Brás carne fresca e nova.

— Que pedaço de italianinha!

— Só figura. Vá falar com ela. Uma analfabeta.

— Pra uma noite ninguém precisa saber ler.

— Passei um bilhete praquela tipa.

No Fordinho novo, Eleonora, ao lado de Alfredo, se empertiga numa fantasia cara de boneca Lenci e sacode todas as pulseiras do braço, querendo voltar para o Esplanada.

— Aqui só tem barbeirinhos!

As filas de automóveis se misturam, engrossam, lavando a promessa das meninas pobres, cheias de ventarolas e rolos catados. Pierrôs vermelhos. Arlequins, dominós. Fantasias irreconhecíveis.

— Ah! Se eu pudesse fazer o corso!

Chinezinhas barulhentas tomam guaraná na garrafa, afogando e tossindo.

As orquestras sádicas incitam:

— Dá nela! Dá nela!

Aquele pierrô feminino está cheirando éter. Aprendeu. Uma baiana imensa ronca num degrau.

— Não olhe praquele sujeito da baratinha!

— Vê lá se eu vou deixar aquele batuta por causa de você!

— Vem embora! Anda!

— Não vou. Me deixa!

Uma facada. Um grito. Viúva alegre. Um lençol. Desaparecem as rodelas vermelhas de carmim dentro do carro branco de sinos.

A borboleta de lantejoulas, caída de um cabelo frouxo, espeta as antenas duras na poça de sangue.

O Carnaval continua. Abafa e engana a revolta dos explorados. Dos miseráveis. O último quinhentos réis no último copo.

▪

— Moço, me dá um rolo?

A rua Bresser está iluminada. Os garotos de bigode de rolha catam confete no chão.

— Mas-ca-ra-do! Cu ras-ga-do!

Os bandinhos tocam nas latas e sacodem os instrumentos de tampas de cerveja. Uma portuguesita come tremoços no portão. Um palhacinho que mal anda brinca com a urina.

No botequim do seu Fernando estão os habitantes do Simeone.

Corina conversa junto a um automóvel que parou perto da farmácia.

— Agora não posso, filha! Tenho que ir ao Terminus.[9] Levar você? Está doida! Amo você sim. Não seja tonta! Quarta-feira no mesmo local. Fique com estes vinte mil-réis.

O pessoal comenta o rapagão e a sorte de Corina.

— Vá esperando! É só pra escachar. Deus me livre falar mal dos outros! Mas vocês não enxergam que ela está engordando?

Corina arrasta os tamancos na direção do cortiço, sem olhar.

▪

Em todas as casinhas da rua João Boemer há animação. Um grupo de meninas domingueiras conta casos de braços dados. Riem como doidas.

Um rapaz bonito, de calças largas e brancas, entra. Uma blusa amarela. Boné de jóquei. No queixo, uma pinta de nanquim. É Pepe. Bate no número 12.

— Por que você não vem no Almeida Garrett? Você quer viver que nem uma velha! Você pode sim. Mas não quer vir junto comigo!

— Não posso ir, Pepe. Você parece um burguês satisfeito. A sua falta de compreensão trai a nossa classe. Eu é que não posso me desviar da luta para brincar no Carnaval.

Pepe diz, depois de um silêncio terno:

— Você casa comigo. A gente fala com o padre Meireles...

9 À época, um hotel de elite no centro da capital paulista.

— O padre Meireles nunca me casará! Serei do homem que o meu corpo reclamar. Sem a tapeação da Igreja e do juiz...

Pepe está fulo.

— Sabe, não quero saber de uma puta!

Afasta-se. Otávia desaparece na porta escura. Rosinha Lituana, lá dentro, mimeografa manifestos. Otávia começa a dobrar.

Pepe enterra as unhas nas mãos. Entra num botequim da avenida Celso Garcia. A mesa está cheia de rabiscos. Uma mulher gorda de peitos espichados. Uma cabeça monstruosa de soldado. Duas deformações de sexos sem corpo se amando. Pepe apaga os desenhos com cuspe. Deixa os sexos.

— Me dá pinga!

Na frente, a igreja do padre Meireles. Muita moça está sendo apalpada na escada.

Duas meninas de pierrô no botequim. Amarelas. De cetineta barata. Caras sardentas afundadas no repolho das golas. Comem doces. Marmanjos pagam.

— Eu tenho peitinhos!

— Eu já tenho pelo!

Dentes bonitos riem.

Pepe se afoga na pinga. Está mais alegre. Olha a igreja apinhada. Começa a pensar em religião. Na missa que ele assiste todos os domingos. Naquele barbeirinho que dá quando ele não tem dinheiro pra mulher. Nas pretas de contas. Nas meninas de organdi. Se sente imbecil. Afinal, pra que serve Deus? Pílulas!

Quase sai sem pagar. Perto está um carro fantasiado. Um chofer preto coloca um pneumático. Só tem moços dentro.

— Olha aquele jóquei no porre! Vamos levá-lo.

Chamam-no. Pepe quer dar murros. Cai dentro do carro, seguro por mãos fortes.

— Precisa de limpeza!

Daí a uma hora, o automóvel estaca diante de um palacete da avenida Brasil.

"A polícia recolheu ontem um homem machucado e despido da sua fantasia numa sarjeta do Jardim América. Parece que se trata de alguém que se entregou à prática de atos imorais."

▪

Corina remenda, esforçando a vista.

Por que nascera mulata? É tão bonita! Quando se pinta, então! O diabo é a cor! Por que essa diferença das outras? O filho era dele também. E se saísse assim, com a sua cor de rosa seca! Por que os pretos têm filhos? Xi! Se o Florino soubesse da gravidez! Tem ímpetos de contar para a mãe. Adora a criancinha que vai vir! Que tamanho estará agora? Já terá olhinhos? E a mãozinha?

O vômito engasga o riso. Pensa no encontro próximo. Como sempre, a barata castanha no Anhangabaú. O apartamento perfumado. O seu amor de calças impecáveis. Que ela mesma tira num cuidado escravo. Gosta de se aninhar nas suas pernas e sentir o ruidinho das cuecas de seda enquanto é gozada.

Aqueles vinte mil-réis ainda tem... guardará bem. Comprará um par de meias. As suas estão furadas, incalçáveis. O Florino pode achar se a revistar... Esconde o dinheiro dentro da moringa vazia.

Começa a medir no espelho o tamanho da barriga.

— Como está enorme! Quem é que não enxerga, meu Deus!

Sua mãe a surpreende. Responde mal. Depois fica arrependida.

A velha soluça no tanque.

A Vila Simione toda sabe.

— Eu sempre disse que aquela sem-vergonha acabava num bordel.

Os trinta e dois dentões do seu Manoel aparecem debaixo dos bigodes.

— Homem! Se não fosse a barriga!

Outras invejam o romance ricaço.

— Que o quê! O filho da Corina terá carro e criada. Vai morar num palacete. Será que ela leva a mãe? E o Florino?

Florino justamente aparece cambaleando. Como sempre. Brigando com os moleques.

— Sua filha come terra! Olha a barriga dela, imberê! Que o vento leva pro ar!

Florino não compreende. Mas penetra em casa bufando. A bengala canta.

— Pamarona! De quem é a barriga strigueta!

Um grito.

— Me larga, bêbado!

Corina expulsa, chora na sarjeta, rodeada. Algumas

mulheres falam com ela. Mas as crianças gritam, implacáveis de moral burguesa.

— Puta!

— Olha a barriga dela!

Passa a noite andando. Mexem com ela. Não sabe onde ele mora. Não está na garçonnière. Arnaldo. Nunca lhe dera outro nome. Sabia o número do automóvel.

A manhã leva ela pra oficina.

▪

Madame Joaninha aparece de tarde.

As garotas cochicham com risinhos.

— Viu, Otávia? A Corina de barriga! Juro que está!

Uma delas vai linguarar pra madame. A costureira chama a mulata. Todas se alvoroçam. É uma festa pras meninas. Ninguém sente a desgraça da colega. A costura até se atrasa.

— Abortar? Matar o meu filhinho?

A cabeça em rebuliço. As narinas se acendem.

— Sua safadona! Então, vá se raspando. No meu ateliê há meninas. Não posso misturá-las com vagabundas.

— Para onde hei de ir?

— E o teu macho?

Ela sorri entre lágrimas. Logo mais, à noite, encontrará o amante. Está quase morta de fome. Se ao menos tivesse trazido o dinheiro. Tinha esquecido na moringa. Não tivera tempo pra nada.

Otávia larga a costura.

— Corina, me espera na saída!

É a única que ainda fala com ela. Justamente a que era menos sua amiga. Sempre a deixara de longe. Sonsa!

Encontram-se. Otávia lhe diz:

— Você vai comigo pra casa. Fica lá até arranjar emprego ou ter a criança.

— Posso ver o Arnaldo quando quiser?

— Corina, você não percebe quem é o Arnaldo? Ele não passa de um horrível burguês! Logo se saciará de você! Eles são sempre assim...

— Mas nós somos noivos...

— Ele nunca se casará com você. Ele não terá a coragem de procurar uma esposa fora de sua classe. O que ele faz é só seduzir as pequenas como você, que desconhecem o abismo que nos separa dele.

Otávia, tomada de proselitismo, continua falando. Corina ouve, mas não acredita e se aborrece. É a única pessoa que a recolhe. Chegam juntas à casinha da rua João Boemer. Rosinha Lituana está no portão, num enorme avental colorido.

— Uma boa notícia, Otávia. Arranjei lugar pra você na Ítalo! Você pode deixar a oficina. E vai ganhar mais cinco mil-réis por mês!

Aperta a mão da Corina.

— Ela vem morar comigo — conta Otávia. — Passe no portão hoje de noite. Vamos juntas na reunião.

Otávia come com apetite a sopa de macarrão com feijão. Sempre a mesma. Mas sempre acha gostosa.

— Coma! Você tem que sustentar o seu filho. Será mais um pra trabalhar. Você precisa que ele seja forte.

Sai. Na rua, Rosinha Lituana com outros operários a espera. Desaparecem na esquina. Vão trabalhar por um mundo melhor. Corina sozinha sai atrás.

— Se chegasse tarde...

▪

Chega cedo. Senta-se num banco do Anhangabaú. O automóvel com duco[10] novo para. É o seu amor.

— Você hoje não pode? Mas eu estou sem casa!

Conta-lhe como saíra da Vila Simione. Não quisera abortar. Madame a pusera para fora do emprego.

Deixa cair uma nota e grita desembraiando:

— Não perca! São cem paus!

A baratinha fonfona a ilusão da Corina. Ficou como um trapo no Anhangabaú. Meia dúzia de motoristas comentam a gravidez e as pernas sem meias.

A chuvinha que cai é maior do que o choro dela. Desbota a chita de grandes bolas.

Com a sua mãe fora assim mesmo!

O viaduto do Chá estremece sob os bondes raros. Corina quer morrer. Morrer com o seu filho. Revê o estremecimento agônico da coleguinha que se suicidara no ano passado, estatelada nos paralelepípedos da rua Formosa, depois do voo. O sangue da outra, a cabeça quebrada, os ossos esmagados.

A sua roupa chove com a chuva. Volta taciturna para o mesmo banco. Procura. Não acha a nota que ele lhe atirara.

10 Pintura automotiva.

Um bando alegre se diverte, na chuva. Três homens e uma mulher. A pé. Passam. Convidam-na por troça. Corina adere. Vai junto. Como máquina. Se embebeda, fuma. Percebe na fumaça os dentes de ouro da mulher que é loira. Ri também. Se excita. Quer todos os machos de uma vez.

No dia seguinte, um sujeito lustroso a leva para um bordel do Brás.

— Vestida assim, ninguém te quer.

Abre-lhe a blusa, rasga-lhe o soutien e a empurra para as vitrines da porta.

Nas vinte e cinco casas iguais, nas vinte e cinco portas iguais, estão vinte e cinco desgraçadas iguais.

Ela se lembra que com as outras costureirinhas caçoava das mulheres da rua Ipiranga. Sente uma repugnância, mas se acovarda. Faz entre lágrimas, como as outras.

— Psiu, benzinho. Vem cá. Te dou o botão...

Aumenta pouco a pouco o vocabulário erótico.

ONDE SE GASTA A MAIS-VALIA

No outro setor social, Eleonora e Lolita saem para ver os modelos que madame Joaninha recebeu. Passeiam juntas todas as tardes.

— Experimente este Channel. Que maravilha, Nora. Foi feito pra você! É verdade, madame, o meu Patou rosa está com a fivela despregada. Mande buscar.

A francesa pintada vende para as coloniais ricas o resto da produção suspeita de Paris.

— Por hoje só. Mande já. Amanhã, escolheremos as saídas.

Otávia, pela última vez, toma o táxi com o groom, para levar três vestidos ao Esplanada. Vai amanhã entrar na fábrica. Madame não ligou!

— Há tantas desempregadas esperando lugar!

▪

Alfredo Rocha lê Marx e fuma um Partagas no apartamento rico do hotel central. Os pés achinelados machucam a pelúcia das almofadas. Cachorrinhos implicantes. Bonecas. O chic boêmio. Uma criadinha chinesa para servir o casal. A desarrumação.

— Ming! Me dá chá com beijos.

O pijama azul reluz e se entreabre. A chinesa franjada abandona a xícara. Obediente. Acostumada. Pequenina. Some nas almofadas. Recebe friamente os beijos do patrão. Levará uma nota nova para o china paralítico e gordo da rua Conde Sarzedas.

— Deixa, Ming. Deve ser Eleonora. Eu abro.

— São os vestidos da senhora.

— Entre! A senhora não está. Espere ali um pouco. É costureira? Ela deve chegar já!

— Sou aprendiz...

Um silêncio.

— O que você acha de sua profissão? Está contente?

— Estou.

— Eu sou rico, mas me interesso por sua classe... por você...

Ela pensa em Corina. Todo burguês é assim mesmo.

— Não acredita?

— Se acredito... Mas prefiro deixar os vestidos.

— Eu desejaria conversar com você...

— Tenho que trabalhar.

— Você pensa que estou querendo abusar de uma trabalhadora? Engana-se. Pessoalmente você não me interessa... É a sua classe...

— Claro! Somos nós que lhe damos este luxo!

— Você se engana... Este conforto me pesa.

Otávia levantou-se. Saiu.

Ming está assustada. O peito arfa sem seios. Olhos mais apertados sob a franjinha simétrica.

— O senhor quer ela...

▪

— Onde vamos, Lolita?

— Ao coquetel dos garotos...

A garçonnière tem uma porção de preciosidades seculares e futuristas. Móveis e pratas. Tapetes persas e modernos. E sobre um cravo empoeirado, uma vitrolinha fanhosa com líquidos derramados.

— Lolita! Viva!

— Trouxe gente.

— Suco! Somos dois!

Embriagam-se e dançam.

— Hoje não vou pra casa!

— Nem eu!

— Dormiremos todos juntos...

— Vaquinha...

— Deixa minha coxa!

Passa no ambiente um desespero sexual de desagregação e de fim. A burguesia se diverte.

MULHER DA VIDA

Na rua das mulheres alegres vai um movimento inquieto. Muita gente. Sucedem-se homens rotos, de tamancos, descalços. Pretos sujos. Adolescentes.

— Eu prefiro a corcunda porque ninguém quer. Essa ao menos é limpa!

Um operário loiro de vinte anos. Cabelos longos empastados na testa. A roupa remendada de cores diversas. Conta os níqueis.

— Vai tudo no choque da matéria! Quer uma cerveja, moça?

— Entre!

É uma casa de cinco. Um espanhol e uma mulher muito gorda. Um único quarto grande separado por tabiques ralos. O gozo se mistura num gemido único. A gorda vende e bebe cerveja. Os machos esperam a vez jogando. O cáften morde a seda vermelha da gravata. Sorri para o espelho embaçado, admirando a pastinha engomada e os dentes bons.

— Esta aleijada não faz nada!

A corcunda não responde. Um sapato velho de cetim tirado de algum lixo rico, cortado como chinelo. Pernas estropiadas, de veias estalando. Uma mala de carnes natural nas costas baixas...

Salpicado de tinta, um jovem pintor de paredes entra hesitante. Ou satisfaz o sexo ou o estômago.

A corcunda quieta se aninha na cama usada.

— Deixe ver se você está muito doente!

Cai num soco, machucando o aleijão. O rapaz goza as carnes moles, devorando os seios descomunais da prostituta.

— Me dá mais. Eu não estou doente. Todas estão!

— Não tenho mais.

Os dois se fitam enojados.

Corina se vende no outro quarto. Tentáculos de um preto gigante enroscam o corpo deformado pela gravidez adiantada.

— Você de barriga me amolece!

Uma voz rouca gargalha na sala.

— Pode vir sem dinheiro mesmo! Até eu pago...

Olhos encarvoados dão vida a uma fonola velha. Tetas murchas balançam nos dessous ensebados. Corina abre a porta, fatigada. Mais outro e terá dinheiro para o berço do filhinho.

Soldados discutem na rua. No botequim, bebe-se e joga-se.

A rua Cruz Branca continua desafogando a seiva do Brás.

— Operário nem sexo pode ter!

Um desempregado onanista se remexe todo na esquina. Uma mulata chupa balas de hortelã. Percebe o rapaz se esfregando na parede. Imita histérica, com as mãos dentro das pernas, para as outras, o gesto trágico do outro, com gargalhadas tremendas.

— Se eu pudesse sair desta vida!

— Trouxa! As ricas são piores do que nós! Não escondemos. E é por necessidade.

— Se eu tivesse um emprego, não estava aqui, doente desse jeito!

— A dor do pobre é o dinheiro.

CASAS DE PARIR

A ambulância tilinta baixo numa curva da rua Frei Caneca. Para diante do portão enferrujado da maternidade. Uma padiola muito branca, um braço muito moreno, acenando na polidez do lençol. Mais uma para o pavilhão das indigentes. No vasto quarto, uma porção de camas iguais. Muitos seios à mostra. De todas as cores. Cheios, chupados. Uma porção de cabecinhas peladas, redondas, numeradas.

— Deixe o meu filho aqui. Vocês me trocam ele!

Não percebe que a distinção se faz nas próprias casas de parir. As criancinhas da classe que paga ficam perto das mães. As indigentes preparam os filhos para a separação futura que o trabalho exige. As crianças burguesas se amparam desde cedo, ligadas pelo cordão umbilical econômico.

Na sala indigente, enfermeiras brancas acarinham sorrindo, no meio do mais duro trabalho, as parturientes que estão ocupando agora as camas pobres que elas ocuparão mais tarde.

— Cama 10. Parto.

Uma enfermeira muito alta arruma os travesseiros, recebe a nova doente.

— O seu nome?

— Corina...

— De quê?

— Só.

— Engraçado! Quase todas as indigentes não têm sobrenome. Nunca teve criança?

— Não. Estou tão cansada...

— Isso passa. Vai ter um filho lindo!

— Sem pai!

— Mas a mãe vai adorar pelos dois.

— Arnaldo.

— Vai ter esse nome?

— Vai.

Corina sofre horrivelmente.

Se a sua mãezinha estivesse ali. Gosta tanto de carinhos. Não tem ninguém para a animar. Chama a enfermeira.

— Não me deixe! Fique perto de mim. Passe a mão na minha cabeça. Que bom!

Grita sem saber. Descobre-se.

Lá no fundo das pernas um buraco enorme se avoluma descomunalmente. Se rasga, negro. Aumenta. Como uma goela. Para vomitar, de repente, uma coisa viva, vermelha.

A enfermeira recua. A parteira recua. O médico permanece. Um levantamento de sobrancelhas denuncia a surpresa. Examina a massa ensanguentada que grita sujando a colcha. Dois braços magros reclamam a criança.

— Não deixe ver!

— É um monstro. Sem pele. E está vivo!

— Esta mulher está podre...

Corina reclama o filho constantemente. Tem os olhos vendados. O chorinho do monstro perto dela.

▪

É aquela mulata indigente que matou o filho!

— Estúpida! Só pra não ter o trabalho de criar! Vagabunda! Devia morrer na cadeia...

— Deixe, querida! Vê o nosso bebezinho, que maravilha! Que gorducho! Olha as covinhas... Que saúde!

— Vou dar pra ele todos os meus brinquedos. Agora já tenho um boneco de verdade. E você tem que comprar aquele carro alto. É o último tipo de Nova York! Para ele passear no parque da Avenida com a nurse.

▪

As mulheres presas se alvoroçam no quadrado.

— Diabo! Não quero louca aqui não!

Uma franzina cheia de espinhas se aproxima da porta gritando:

— Bandidos! Onde é que eu vou roubar dinheiro pra pagar a carcerage?

Duas comentam:

— Xii! É uma mulata! Magra que é isso... Mas é bem bonita...

— É sim.

O pesado gradil se abre, se fecha. Corina está presa.

— Por que veiu?

Sempre a mesma pergunta para quem entra. Corina não responde. Senta-se a um canto, num trapo de cobertor vermelho.

— Xii! Sai! Olha só onde ela foi sentar. Tá assim de muquirana.

— Por que você veiu?

— Matei o meu filho...

— Credo!

Se afastam. Se chegam de novo.

— Vim aqui por causa de dinheiro. Estava com fome. Roubei!

— Eu também. Matei porque o freguês queria me roubar. Foi por causa da carona.

— Eu bem que estava de barriga cheia. Mas queria um mantô!

— Afinal, todas nós está aqui por causa do dinheiro. Só essa porcalhona que matou o filho!

Ninguém sabe que foi por causa de dinheiro.

As presas de cócoras conversam eternamente as suas histórias simples. Pequenas, iguais.

— Se tivesse um cigarro!

— Tira. Só um, hein.

— Obrigada.

— Você tem homem?

— Tinha...

Corina revê o seu romance passado.

Ainda seria capaz de perdoar. Se ele quisesse... Chora alto.

— Não chegue perto. Te pego doença. Se você visse! Minha boceta é um buraco!

— Ora boba! Eu também estou podre! Vem comer comigo! Xii! Caraio de boia! Tenho vontade de meter essa porcaria no queixo do carcereiro. Todo dia esse macarrão fedido. Filho da puta!

Corina lê um pedaço de jornal rasgado. Pálpebras moles, maldormidas. Os piolhos e pulgas se aninham no corpo delgado. A esteira suja, jogada num canto da prisão. O brim azul da saia larga. As pernas bem-feitas, descalças, morenas. Examina-as e as cruza, arrastando, sexualizada, as unhas crescidas dos pés nas saliências da parede. Apalpa as carnes duras. Tão bonita, vai envelhecer sozinha, na prisão.

Uma sentinela coberta de sardas está pregada nas grades.

UM BURGUÊS OSCILA

Otávia e Rosinha moram juntas agora. No mesmo cortiço onde Matilde pouco antes viera se alojar com a mãe em decadência.

A entrada de um automóvel de luxo anima a vila coletiva. Eleonora desce, elegante, contrafeita.

— Matilde! Recebi o seu endereço. Que horror, você morando aqui!

— O que você quer? Mamãe perdeu o emprego. Está envelhecendo.

— Continua linda, sua tonta! Se quisesse morar comigo!

— Se não fosse mamãe...

— É! Ela eu não posso levar... Você vem me ver sempre?

— Claro! Não sabia que você queria...

— Boba! Eu sou a mesma. Você é a minha maior amiguinha. Que é que você faz aqui?

— Dei pra estudar. Converso muito com duas vizinhas aqui do lado. Vieram para cá há pouco. Conheço da fábrica.

— Ora, o que uma operária pode conversar? A mesma mania do Alfredo. Esse tempo perdido você pode gastar comigo. Venha almoçar amanhã... Um beijo chupado, negrinha.

▪

Alfredo lê e sempre anota. Eleonora se entretém com o Xuxuzinho. O cachorro perfumado lambe gostosamente as unhas tratadas. Saltita sexual no colo rubro do pijama.

— Alfredinho, hoje você vai dando o fora. Matilde vem cá. Não quero ninguém me atrapalhando. Volte para o chá.

— Voltarei amanhã.

— Melhor!

Matilde chega, pálida, no tailleur modestíssimo. A boina russa esconde os olhos ternos. Alfredo lhe beija as mãos e sai no mesmo instante.

Ming serve aperitivos.

O risinho infantil desaparece pouco a pouco nos beijos. O almoço foi curto. Ming sai. Matilde foi despida e amada.

— Não te deixo hoje. Vamos fazer uma farra de noite. Temos que acabar estas garrafas.

O champanhe escorrido ilumina os seiozinhos virgens, machucados.

— Gostas de luxo, Matilde...

— De você...

— Por que nunca quiseste, quando estava na escola?

— Não tinhas este apartamento nem estas bebidas gostosas...

Eleonora dilacera-lhe os lábios.

— Alfredo chegou... Vai te levar de automóvel.

Matilde se vestiu abatida. A carteira cinzenta está cheia de dinheiro.

— Vou só, Eleonora. Obrigada.

Alfredo saiu também no domingo vazio.

Acompanha-a de longe. Consegue tomar o mesmo bonde. Descem na rua Silva Teles. A manhã no Brás se movimenta. A verdureira não pode com o peso da cesta. A bananeira esgoela o seu canto preguiçoso.

Matilde desaparece no portão largo do cortiço. Alfredo se apressa. Encontra-a em soluços agarrada a uma mocinha descalça. Se recorda. É a costureira aprendiz com quem falara no Esplanada.

— Você veio com ele? Ele te fez alguma coisa?

— Não! Não foi ele! Fale com ele!

— Eu não!

Otávia deixa-a, exclamando:

— Ele terá vergonha de falar com meus pés descalços...

Alfredo se aproxima.

— Não vá mais ver Eleonora, Matilde...

— Não vou...

— Essa moça mora aqui?

— Mora com outra, na casa 10.

Uma oxigenada, num roupão de flores, aparece chamando.

— Entre um pouco, seu Alfredo. Venha tomar um cafezinho...

É a mãe de Matilde.

PAREDES ISOLANTES

Automóvel Clube. Dentro, moscas. O clube da alta pede penico pela pena decadente de seus criados da imprensa. Agora quer engazopar a prefeitura, vendendo-lhe o prédio que não pode terminar. É a crise. O capitalismo nascente de São Paulo estica as canelas feudais e peludas.

Decresce a mais-valia, arrancada por meia dúzia de grossos papa-níqueis da população global dos trabalhadores do Estado, através do sugadouro do Parque Industrial, em aliança com a exploração feudal da agricultura, sob a ditadura bancária do imperialismo.

O mais rico, o mais aristocrático dos clubes, dá o prego.

No vasto salão, meia dúzia de recalcitrantes.

— Porcaria de vida!

— Não se tem o que fazer. No Brasil, não se tem onde gastar. Terra miserável!

— Não dei nem uma trombada este mês!

— As meninas daqui são todas umas bestas. Não há mais donzela.

— Umas treinadas!

— Pois olhe, eu tive uma aventurinha esta semana. Umas garotas que nós acompanhamos, sábado de tarde. Lembra? A diaba não queria saber. Nem automóvel, nem dinheiro. De noite, chamei o Zezé e fomos assaltar a casa ali da rua do Arouche. Ela mora com a dona do ateliê. As duas sozinhas... Foi um susto dos diabos. Pensaram que eram gatunos. Também, o Zezé fez uma cena de faroeste, revólver, lenço preto... Eu agarrei a pequena na cama... Virgenzinha em folha...

— E a polícia?

— Quando é que a polícia perseguiu um filho de político?

— Os jornais não deram...

— Decerto. Os jornais são camaradas.

— Deste dinheiro a ela?

— Dei dentadas...

O comentário prossegue em torno de calças de algodão, entre dois uísques no bar.

— E a Lolita?

— Sopa demais. A loirinha do Rocha é que é um colosso. Mas viciada. Só quer mulher!

— O Arnaldo se desenroscou?

— Claro! Jurou que o filho não era dele. E o número do automóvel também. Depois, ela tinha saído de um bordel para a maternidade... Ele agora trouxe uma tourazinha do Sul.

— E a crioula?

— Cadeia.

Outro personagem. Luvas. Uma pochete estridente.

— Quer novidades?

— Aquele mulatinho interventor, hein?

— Tenente canja. Nunca vestiu um smoking. É só mandá-lo para o nosso batalhão volante. As mulheres da alta servem pelo menos para isso... domar burros importantes! Que diabos! Não é só o príncipe de Gales!

▪

As grandes fazendas paulistas têm sempre suas éguas de velho pedigree à vontade do visitante indicado. Bem brasileiras. Bandeirantes. Morenas. Loiras. Gordinhas. Magras. E piores que as condessas da Rotonde. Estas ficam virtuosas e gordas depois do casamento.

São meia dúzia de casadas, divorciadas, semidivorciadas, virgens, semivirgens, sifilíticas, semissifilíticas. Mas de grande utilidade política. Feitas mesmo pra endoidecer militares desacostumados.

Despem-se para vesti-los com a libré social da alta. São a nata. As melhores famílias! Num nocaute, eles mandam fazer uma dúzia de smokings. Encomendam uma adega de vinho Chianti. São capazes de vender o regimento por um charuto. E ocupam São Paulo.

Adeus cinco por cento do salário miserável! Oitenta mil operários se desiludem e põem aspas na Revolução.

Alfredo, cada dia que passa, sente-se um deslocado e um inútil naquela pobre riqueza agonizante.

Atravessa o viaduto, volta ao Esplanada. Também deserto. Quase fechando. Vai tomar um uísque solitário. Penetra no bar prostituto que se tornou social.

Acorda com o alvoroço de mulheres entrando. São as emancipadas, as intelectuais e as feministas que a burguesia de São Paulo produz.

— Acabo de sair do Gaston. Dedos maravilhosos!

— O maior coiffeur do mundo! Nem em Paris!

— Também você estava com uma fúria!

— A fazenda, querida!

— O *Diário da Noite* publicou minha entrevista na primeira página. Saí horrenda no clichê. Idiotas esses operários de jornal. A minha melhor frase está apagada!

— Hoje é conferência. Mas acho melhor mudar a hora das reuniões. Para podermos vir aqui!

— Será que a Lili Pinto vem com o mesmo tailleur?

— Ignóbil!

— Ela pensa que a evolução está na masculinidade da indumentária.

— Mas ela sabe se fazer interessante.

— Pudera! Quem não arranja popularidade assim?

— Ela ainda está com o Cássio?

— E com os outros.

O barman cria coquetéis ardidos. As ostras escorregam pelas gargantas bem tratadas das líderes que querem emancipar a mulher com pinga esquisita e moralidade.

Uma matrona de gravata e grandes miçangas aparece espalhando papéis.

— Leiam. O recenseamento está pronto. Temos um grande número de mulheres que trabalha. Os pais já deixam as filhas serem professoras. E trabalhar nas secretarias... Oh! Mas o Brasil é detestável no calor! Ah! Mon Palais de Glace!

— Se a senhora tivesse vindo antes, podíamos visitar a cientista sueca...

— Ah! Minha criada se atrasou. Com desculpas de gravidez. Tonturas. Esfriou demais o meu banho. Também, já está na rua!

O garçom alemão, alto e magro, renova os coquetéis. O guardanapo claro fustiga sem querer o rosto de Mademoiselle Dulcineia. A língua afiada da virgenzinha absorve a cereja cristal.

— O voto para as mulheres está conseguido! É um triunfo!

— E as operárias?

— Essas são analfabetas. Excluídas por natureza.

O garçom do grande hotel tem um sorriso significativo.

Alfredo também. Paga. Sai. Toma o elevador para o segundo andar.

▪

Eleonora continua suas desencontradas aventuras. Há de tirar de tudo na vida.

O quarto, tapetado em azul, eternamente desmantelado. Os urros sexuais se ritmando diariamente nos ouvidos dos criados e comentados em todos os apartamentos do andar. Quer rebentar o útero de gozo.

Alfredo lhe repugna no seu desleixo de vestuário. Queria ao menos tê-lo chique como antes. Prefere imensamente mais aquele húngaro, de bigodes loiros, bem-vestido, que viu no hall. Tem um Frontão. É um canalha. Mas é desejado como um príncipe.

Entra depois de Alfredo, brincando com o cachorrinho.

— Com quem vieste?

— Com uma senhora holandesa.

Põe o pijama.

Alfredo percebe na mulher o esboroamento da própria inteligência. Como se tornara medíocre!

— Não combinamos em nada, Eleonora!

Ela brinca, indiferente, com um chapéu de praia que comprara.

A rádio Educadora Paulista vomita foxtrotes da parede.

Alfredo sente despejar-se sobre ele um indizível mal-estar. Tudo o irrita na mulher nula. O pijama, com rendas pelas coxas para mostrar o nu. As cintilações das pulseiras. As unhas esmaltadas. Os pipermints. Ela murmura.

— Que camisa nojenta a sua!

Alfredo empalidece.

— Você está digno dos seus amigos sujos! Peço só que não jante comigo assim. No hotel, reparam...

Alfredo aproxima-se:

— Escute, Eleonora. Tirei você de uma casa onde ao menos se trabalhava para viver. Você acreditou na comédia da alta-roda. Contaminou-se. Atolou na lama desta burguesia safardana! Talvez fosse eu o culpado. Talvez não. Você entraria por outra porta. Ou por debaixo do pano! Você nunca se conformaria em trabalhar. E a burguesia hoje mal se defende. Pois fique com ela. Eu saio!

HABITAÇÃO COLETIVA

Os tanques comuns do cortiço estão cheios de roupas e de espuma. No capim, meia dúzia de calças de homem e algumas camisolas rasgadas. Mãos esfoladas se esfolam. Criancinhas ranhudas, de um loiro queimado, puxam as saias molhadas.

— Larga, pestinha! Tenho que ensaboar tudo isso! Estes filhos só nascem para tentar...

— Praga! Eu te meto a mão até o diabo dizer chega!

— Gente pobre não devia ter filho!

— Aí vem a Didi! Você viu a criança dela, que mirrada?

Uma preta deformada aparece com o filho cinzentinho. Uma teta escorrega da boquinha fraca, murcha, sem leite. O avental encarvoado enxuga os olhinhos remelentos.

— Gente pobre não pode nem ser mãe. Me fizeram este filho num sei como! Tenho que dar ele pra alguém, pro coitado não morrer de fome. Se eu ficar tratando dele, como é que arranjo emprego? Tenho que largar dele pra tomar conta dos filhos dos outro! Vou nanar os filhos dos rico e o meu fica ali num sei como.

Ninguém diz nada. Estão quase todas nas mesmas condições.

Passam a falar na sedução das garotas do bairro.

— Uma que se perde logo é a Julinha. Magine que ela vai no armazém e deixa os rapazes fazerem assim nos peitinhos dela. Outro dia, até pegaram uma conversa. O Taliba estava na latrina e ouviu ela perguntar pro Pouca-Roupa se ele tinha enfiado tudo!

— Que diabo! As crianças têm mesmo que saber. Como é que a gente pode esconder se mora tudo no mesmo quarto? A gente tem que trocar roupa tudo junto. A gente tem que fazer tudo perto deles. Só rico é que pode ter vergonha porque cada um tem seu quarto.

Otávia e Rosinha chegam do serviço. Didi procura ainda espremer o peito e esfrega na boca entreaberta do filho.

— Trouxe leite condensado pro seu neném, Didi.

— Toma essa lata de marmelada!

A boca desdentada da preta nem agradece...

— E a Matilde?

— Oscila um pouco, mas vai. Nunca mais tornou a ver aquela amiga rica. Está trabalhando nas meias. Vai indo bem.

— Você já deu aqueles folhetos pra ela ler?

— Já leu. Vamos levar ela hoje à reunião?

A voz estrídula do senhorio bate nas portas. Todo o cortiço se lamenta.

— Não arranjei!

— Pelo amor de Deus! Deixa pra amanhã.

▪

A casa número 12 é o tabu das meninas do cortiço. As mães proíbem a aproximação das filhas. Elas sabem que ali reside dona Catita. Entram muitos homens. Dona Catita tem calças de seda e arminho no chinelo. Quando ela sai de manhã, com o pijama apertando muito as carnes largas das ancas, todo mundo vira a cara. Dona Catita se espalha, arrastando o chinelo peludo na terra suja do terreiro.

Iaiá é a criadinha surda que lava a roupa, os lençóis manchados da casa 12.

▪

No luar que quase não se enxerga, a criança brinca de anel.

Longe, num canto, a Violeta mexe na calça do soldado gozador.

As meninas maiores tecem grandes abajures de ráfia, estragando os dedos nos arames.

A conversa das crianças começa simples, pudica. Sentam-se mais perto. A conversa se esquenta, grave, confidencial. Os cerebrozinhos recalcados se expandem e falam baixinho o que as mães sabem que elas falam.

— Você já é moça?

Um garoto maldoso pretende ouvir.

— Vá se embora! Menina com menina! Menino com menino!

O garoto esganiça:

— Sai, chiveta![11]

Vai brincar de acusado. As meninas recomeçam.

— As mulheres à toa fazem que nem as casadas?

As palavras agora saem como um sopro:

— Eu já vi minha mãe uma vez...

— Como era?

— Tem mulher que faz com mulher!

— Não acredito. Não pode...

— Pode sim! Eu li num livro.

Se assustam. Um grito mole ali perto.

— Con... chi... ta! Seu pai chegou! Vem pra dentro!

O preto da pamonha se rodeia da pequenada.

Matilde tem um gato no colo. Dona Catita chega chibante da rua. Traz embrulhos. Otávia aparece no portão. Um grupo de mulheres se aninha em descanso sobre os feixes de lenha, perto dos tanques.

— A minha Ambrozina está ganhando bem, graças a Deus! É datilógrafa dum doutor. No fim do mês vamos sair deste buraco pruma casa decente. Ganha mais do que meu marido. Se ela não precisasse tanto dos vestidos... Mas diz que é assim. A senhora vai ver a capa que ela comprou...

Ambrozina chega. Trazida no auto do patrão que parou na esquina. Redondinha, muito apertada na cintura pelo fivelão do impermeável azul brilhante. Beija a mãe com muito barulho, deixando as marcas do rouge. A mulher se arrasta orgulhosa na risada, atrapalhando os chinelos.

11 Menina atrevida, assanhada, namoradeira. Corruptela do italiano *civetta*, coruja.

— Depressa mamãe! Senão a gente chega tarde na Clara Bow![12]

Entra na casa. O grupo de mulheres entreolha.

— Aposto que já é...

— O Miguel viu ela entrar numa casa feia...

— Eu tenho pena da mãe!

— Coitada o quê? Pensa que ela não sabe?

▪

Metade do cortiço sai para a fábrica. A fumaceira se desmancha enegrecendo a rua toda, o bairro todo.

O casarão de tijolo, com grades nas janelas. O apito escapa da chaminé gigante, libertando uma humanidade inteira que se escoa para as ruas da miséria.

Um pedaço da fábrica regressa ao cortiço.

— Ninguém trabalha amanhã!

— Ninguém!

— Estão arrancando o pão de nossa boca! Não podemos consentir. Diminuíram mais! Cachorros!

Os tecelões espumam de ódio proletário. As fileiras pobres se engrossam numa manifestação inesperada diante da fábrica. Mãos robustas e mãos esqueléticas avançam para a limousine de luxo do grande industrial que está parada. O chofer elegante fugiu. Vidros e estofados nas mãos da massa que se vinga.

— Esta gasolina é o nosso sangue!

12 Clara Bow (1905-65), atriz americana.

■

O teatro Colombo, opaco e iluminado, indiferente aos estômagos vazios, recebe a aristocracia pequeno-burguesa do Brás, que ainda tem dinheiro para cinema.

Na porta, o enigma claro de Greta Garbo nas cores malfeitas de um reclame. Cabelos desmanchados. O sorriso amargo. Prostituta alimentando, para distrair as massas, o cáften imperialista da América.

Mas a massa que não vai ao cinema se atropela no largo, em torno da bandeira vermelha onde a foice e o martelo ameaçam.

Cartazes rubros incitam a revolta. Línguas atrapalhadas, mas ardentes, se misturam nos discursos.

O Brás acorda.

A revolta é alegre. A greve, uma festa!

— Companheiros soldados! Não atirem sobre os seus irmãos! Voltem as armas contra os oficiais!

As espadas dos cavalarianos gargalham nas costas e nas cabeças dos trabalhadores irados. Eles só têm os braços algemados para se defender. Os grevistas se amassam nas patas dos cavalos. Recuam.

Na porta escura da fábrica, uma operária grávida se lamenta.

— Meu marido está sendo sacrificado. Me matam ele! Vamos tirar nossos maridos dessa greve!

Um operário sujo revida.

— Que fraqueza, companheira! Neste momento todos lutam. Não há indivíduo. São todos proletários.

Um grupo se forma.

— Calma, Otávia. Você fala depois!

— Os meus filhos não têm comida!

— É melhor voltar ao trabalho.

As mulheres apoiam a traição.

— Elas não compreendem, Rosinha...

— Espera, eu vou falar...

A voz pequenina da revolucionária surge nas faces vermelhas da agitação.

— Camaradas! Não podemos ficar quietas no meio desta luta! Devemos estar ao lado dos nossos companheiros na rua, como estamos quando trabalhamos na fábrica. Temos que lutar juntos contra a burguesia que tira a nossa saúde e nos transforma em trapos humanos! Tiram do nosso seio a última gota de leite que pertence a nossos filhinhos para viver no champanhe e no parasitismo! Nós, à noite, nem força temos para acalentar nossas crianças, que ficam sozinhas e largadas o dia inteiro, ou fechadas em quartos imundos, sem ter quem olhe para elas. Não devemos enfraquecer a greve com nossos lamentos! Estamos com o pagamento atrasado e chegamos até a passar fome, enquanto nossos patrões que nada fazem vivem no luxo e mandam a polícia nos atacar! Mas não será por isso que haveremos de ser escravas a vida inteira! A camarada Júlia está fazendo inconscientemente uma obra policial! Está traindo os seus companheiros e a sua classe! Ela é um exemplo da exploração capitalista! A burguesia tem para se defender os seus lacaios armados! Se nós mesmos não defendermos as nossas reivindicações, quem correrá em nosso auxílio? A reação policial é um incitamento para a luta, porque só vem provar que somos escravos da burguesia e que a polícia está do lado dela! Temos dezesseis camaradas presos. Por quê? Devemos exigir que eles sejam postos em liberdade. Camaradas! Formemos uma frente de ferro contra a barbaridade dos burgueses que já estão sentindo a agonia de seu regime e por isso apelam para a violência e para o terror! Tenhamos confiança na vitória proletária! Lutemos pela greve e pela liberdade de nossos presos! Maridos, companheiros, irmãos e noivos! Pela greve geral! Contra a burguesia e seus lacaios armados!

Tiros, chanfalhos, gases venenosos, patas de cavalos. A multidão torna-se consciente, no atropelo e no sangue.

BRÁS DO MUNDO

A polícia investiga. No gabinete, entre secretas, estão alguns vendidos. Pepe aproxima-se.

— O senhor me prometeu que dava mais.

— Você não adiantou nada. Diga quem começou... Os nomes...

— Já disse. A Rosinha Lituana... Ela que falava em todas as reuniões...

— Idiota! Uma criança revoltar uma multidão!

— Foi ela!

Pega nervosamente os dez mil-réis que o inspetor lhe joga. Comprará um presente para reatar com Otávia. Não se encontram há um mês.

O domingo à toa. Na rua da Mooca, na rua Bresser, os automóveis particulares rasgam para as corridas. No hipódromo coalhado de elegantes, as poules estragam dinheiro. Dia de sol. Cabelos curtos. Boinas multicores. Aristocratiza-se o bairro popular.

Pepe estaca no portão.

— Por que eu hei de ser toda a vida um miserável? Por quê?

Comenta-se a queda de um jóquei.

— Caem tantos!

Pepe se afasta, o cérebro escangalhado de contradições, torvo de misérias. Sente a traição em todas as veias. Fora por sua causa que tinham levado a Rosinha do cortiço no carro de presos.

A calma recusa de Otávia irrita-o. Compra um sorvete de pauzinho.

▪

Rosinha Lituana desembarca cercada de tiras no presídio colossal da Imigração. Estivera naquela casa dez anos atrás como imigrante, pequenina. Viera da Lituânia com os pais miseráveis. O depois da guerra os fizera imigrar, como tanta gente. Foram misturados com muitos outros no casarão de tijolos da rua Visconde de Parnaíba. O mesmo de hoje. Sem os jardins e sem as grades.

Depois, tinham sido endereçados como escravos para a fazenda feudal que os escravizara aos pés de café. Até a criança apanhava. O camponês calava-se. Um dia lhe quiseram tirar a mulher. O moço da casa desejara as tranças fartas da lituana. Encerraram-no num quarto do curral. Tinham conseguido fugir de noite. Rosa se lembrava da despedida na estrada, quatro dias depois. O pai dissera:

— Eles nos pegam! Foge com nossa filha...

Vira seu pai pela última vez de um capinzal alto. Escondida e assustada. Ele fora amarrado como um touro e reconduzido ao feudo moderno. Atravessando cidades policiadas!

Depois, tinham chegado ao Brás, as duas sozinhas. A miséria. As idas inúteis ao Patronato Agrícola, donde um dia um velho as expulsou. Tinham ficado num porão. A mãe morrera. Entrara na fábrica de tecidos com doze anos. A revolta contra os exploradores e assassinos. Conhecera o sindicato. Compreendera a luta de classes.

Das grades onde se encosta, vê o rancho dos soldados. Às nove horas, do outro lado, passa o trem de luxo para o Rio. O Cruzeiro do Sul. Cada cabine custa por uma noite quatrocentos mil-réis. Ela ganhava, por mês, duzentos. Às vezes menos.

Custa a conciliar o sono na cama estranha. Lembra-se de sua iniciação na luta proletária. Desmascarara um vendido à classe inimiga. Era criança sim! gritara para a assembleia parada. Mas trabalhava o dia inteiro e no serão também!

Tinha distribuído tantos manifestos! E a reunião terminara ao canto da *Internacional*.

Acorda com o clarim do presídio. O cubículo estreito brilha no sol das grades.

Trepa na janela. Observa o pátio. Um pelotão embaixo, sem armas, faz exercícios rítmicos. Um soldado branco arregaça as calças desbotadas e põe de fora pernas femininas. Inicia a faxina. Um cabo sem dentes espicha as polainas grossas para um engraxate.

O cadeado corre fazendo barulho na porta. Ela salta para o chão. Passa um pano no rosto. É um preto encanecido que lhe traz o café. Fora da porta há uma sentinela de arma embalada.

Ouve risadas enormes embaixo. É o diretor do presídio.

Trazem-lhe o almoço. Ela se distrai com a tagarelice dos soldados lá fora.

— A época é de economia!

— É sim! Eu estou aqui porque não encontrei trabalho...

— Eu estou servindo a pátria...

Larga a comida. Sobe até a janela. Chegam até ela frases que lhe são conhecidas. Frases da propaganda. Quem será? Não consegue ver. Mas escuta.

— Pátria... tapeação. Quem não tem patrimônio não tem pátria! Somos mais irmãos do soldado raso da Argentina do que de nossos oficiais. Guerra... tapeação! Defender o quê? A propriedade dos ricos...

— Isso é verdade!

— Esses ricos que nós defendemos com nossa vida se enojam da nossa presença...

— Pobre não tem pátria.

O preto passa sob a bandeja, levando pratos para a sala dos oficiais.

■

No interrogatório, comunicam-lhe que vão expulsá-la.

— Você é estrangeira!

Mas ela não conhece outro país. Sempre dera o seu trabalho aos ricos do Brasil!

Sorri numa amargura. Vão levá-la para sempre do Brás...

Que importa? Ela ouvira dos próprios defensores do presídio social: pobre não tem pátria!

Mas, deixar o Brás! Para ir aonde? Aquilo lhe dói como uma tremenda injustiça. Que importa! Se em todos os países do mundo capitalista ameaçado há um Brás...

Outros ficarão. Outras ficarão.

Brás do Brasil. Brás de todo o mundo.

EM QUE SE FALA DE ROSA DE LUXEMBURGO

Otávia sai quase tísica da colônia de presos políticos de Dois Rios. Seis meses de degredo por ser nacional! Viva por ser forte.

A segunda classe do noturno que a reconduz a São Paulo leva também os últimos sambas cariocas. A preocupação da luta social já invadiu o canto popular.

— Rodeia!

— Rodeia!

Que este samba vai terminar na cadeia.

No banco negro de pau, ela lê um vespertino do Rio. O primeiro jornal que lê depois de tanto tempo. O Carnaval fora oficializado. Muita gente caiu na rua de fome. Mas houve champanhe à beça no Municipal. Corre os olhos nas outras páginas. O NORDESTE TRÁGICO. Uma flagelada, acossada pela fome, matou os filhinhos. Foi recolhida à cadeia. Um retrato cavalar ilustra uma entrevista fascista. O Brasil precisa de ordem!

O Ministério da Agricultura, na Quinta da Boa Vista, custará só dezesseis mil contos. As toilettes fantásticas da filha do interventor, em Petrópolis. A mendicância aumenta! O conflito sino-japonês. As greves recrudescem na Espanha. Na Grécia dos poetas! Na Grécia? Quem diria? A agitação mundial é um fato! Até o articulista compreende. Num fim de página, perdido e medroso, um telegrama sobre a construção do socialismo na URSS.

▪

— Vejo que aumentamos, companheiros...

O sindicato ferve.

— Um ano de luta, Otávia! Dá pra muito proletário se desiludir da colaboração com a burguesia. Compreender a luta de classes. Diversos intelectuais foram expulsos daqui. Outros entraram. Você conhece um. Saiu definitivamente da burguesia. O Alfredo... Está transformado. Mas custou a perder os desvios... E o gosto pelo hotel Esplanada. Olha ele aí!

— Já sei...

— Otávia... você!

Abraça-a indizivelmente.

— Se proletarizou mesmo?

— Deixei duas vacas... a burguesia e a Eleonora...

Alfredo Rocha ri sadiamente malvestido.

— Me conte o seu exílio...

Alfredo? Poderia acreditar? Estariam iludidos os companheiros?

Ela conversará com ele todas as horas que tiver livres

para ver se descobre uma atitude falsa, um fim oportunista, uma sombra de caudilhismo ou de oportunismo. Aquele grande burguês do Esplanada!

Todos lhe afirmam que a sua linha política é perfeita.

No domingo frio, ela entra no quarto que alugou, trazendo meia dúzia de flores amarelas colhidas no caminho da feira.

Alfredo a segue, num sobretudo velho.

Otávia põe um avental de quadradinhos e com uma espiriteira prepara água para o café. Os seios pulam na blusa. Alfredo passa os olhos por eles sem querer.

— Você não acredita ainda em mim, Otávia!

A água murmura. O café cheiroso tinge a tigela desbeiçada, única. Alfredo morde calado um pedaço de broa. Ela sorri.

— Acreditarei um dia.

■

Otávia, à noite, depois do emprego que arranjou numa padaria, percorre as ruas, procurando encontrar uma ou outra antiga companheira de fábrica. Espia nas sorveterias e nos botequins. Normalistas passam lambendo sorvetes. Desce a rua Joly. O local proletário não mudou. A mesma quitanda do português. Comprava bananas ali. Na esquina quase esbarra na figura agigantada do companheiro Alexandre, que conhecera trovejando contra a burguesia na reunião sindical. De camisa listrada e sem mangas, conversando com dois funcionários estrangeiros.

— Olá, companheira!

Os quatro se dirigem para um botequim. Sentam. As mesas estão ocupadas por trabalhadores.

— Esta merda nunca foi revolução!

— Enquanto não vier o Luiz Carlos Prestes...

Alexandre intervém na conversa.

— Seria a mesma coisa...

— Como?

— A mesma coisa! Ele faria de novo essa comédia suja que está aí!

— Então quem é que endireita?

— Quem?

— Nós, os trabalhadores! Os explorados é que precisam fazer a revolução.

Um operário pequenino comenta.

— Não se faz a revolução porque a maioria do povo é que nem eu! Confesso que tenho medo da polícia. Quem quiser que faça...

— Há muitos assim como você — grita Alexandre. — Mas os meus filhos, que são crianças, já compreendem a luta de classes!

Alexandre não sabe ler nem escrever. Mas a realidade social, pela sua boca, exalta as multidões.

— É a palavra de um trabalhador pros outros trabalhadores!

A massa se galvaniza no sindicato repleto.

— Que partido nós devemos acompanhar, camaradas? Os partidos da burguesia? Não! O PRP, o PD? Não! Os tenentes? Não! Todos os trabalhadores devem entrar para dentro do partido dos trabalhadores!

Os dissidentes se calam. A voz possante domina, contagia, marca um minuto da revolução social.

A casa de Alexandre fica perto do parque São Jorge. Ele diz que é casa. Os vizinhos burgueses, galinheiro. Os seus dois crioulinhos, de nove e dez anos, não se batizaram, mas se chamam Carlos Marx e Frederico Engels. Marcos e Enguis, como fala da cama suja a avó paralítica. Do colchão murcho, feito de retalhos, ela olha ferver a sopa num fogão de gravetos.

— Fogo tá quagi pagando!

A mãe dos garotos ficou há muitos anos debaixo de uma pilha de sacos no Moinho Santista.

— Venha ver como a minha miséria é bonita!

Atrás do gigante negro aparecem Otávia e Alfredo. Quase noite.

A miséria sim. Mas que revolta dentro da miséria.

Carlos Marx não vendeu nenhum jornal para pregar de madrugada manifestos sindicais vermelhos nos postes.

Os pratos de folha se enchem de caldo. O preto come numa tigela grande. Alfredo procura gostar da comida pobre e malfeita. Sente-se feliz. Não acha mais abominável, como antes, o Brasil. Não deseja mais afundar a sua neurastenia individualista em nenhum lugar pitoresco, nem nos fornos do Saara, nem no oceano glacial Ártico. Quer que o deixem no Brás. Comendo aquela comida revolucionária. Sem saudades dos hotéis do Cairo, nem dos vinhos da França.

Carlos Marx e Frederico Engels entram correndo para contar que roubaram o filho da cozinheira ali do vizinho.

A mãe estava no trabalho. Ficara tomando conta do pequenito a maiorzinha de seis anos.

— Uma burguesa bem-vestida achou ele bonito no colo da irmã. Desceu do automóvel e levou ele... Ontem de tarde.

Alfredo se interessa, interroga:

— Foram à polícia?

— O pai foi. Mas o delegado da Ordem Social disse que a criança está melhor na casa dos ricos!

Alfredo abre um vespertino que trouxera e procura a notícia.

— Não dá. Para denunciar essas infâmias da burguesia nunca há espaço... Mas olha tudo isso sobre o filho de Lindberg.[13] Dizem que a mãe é a mulher mais desgraçada do mundo. A nova Virgem Maria!

Fumam em silêncio. Alfredo atirou o jornal. No borralho, as últimas pontinhas de fogo. Um gato velho sacode as patas queimadas. Frederico Engels estuda. Carlos brinca com uma menina morena que entra. Muito morena. Uma infinidade de arranhões nas pernas altas e nuas. Discutem.

— É verdade, seu Alexandre? Não acredito...

— Ela disse que Rosa de Luxemburgo nunca existiu...

Otávia senta-se no chão com as crianças.

13 Charles Augustus Lindbergh (1902-74), pioneiro da aviação, famoso por ter realizado o primeiro voo solitário e sem escalas sobre o Atlântico, em 1927. Em 1932, o filho de um ano foi sequestrado e morto.

— Existiu sim! Foi uma militante proletária alemã, que a polícia matou porque ela atacava a burguesia...

— A mulher que roubou o Neguinho é burguesa?

— Decerto! — explica Frederico, levantando a cabeça do livro que soletra. — Se fosse pobre a polícia também matava que nem a Rosa de Luxemburgo.

Otávia explica que a burguesia é a mesma em toda parte. Em toda parte, manda a polícia matar os operários...

Alexandre ri. A sua voz imensa intervém:

— Matam os operários, mas o proletariado não morre!

PROLETARIZAÇÃO

Matilde escreve à Otávia:

"Tenho que te dar uma noticiazinha má. Como você me ensinou, para o materialista tudo está certo. Acabam de me despedir da fábrica, sem uma explicação nem motivo. Porque me recusei a ir ao quarto do chefe. Como sinto, companheira, mais do que nunca, a luta de classes. Como estou revoltada e feliz por ter consciência! Quando o gerente me pôs na rua senti todo o alcance da minha definitiva proletarização, tantas vezes adiada!

É uma coisa fatal. É impossível que os proletários não se revoltem. Agora é que eu senti toda a injustiça, toda a iniquidade, toda a infâmia do regime capitalista. Só tenho uma coisa a fazer. Lutar encarniçadamente contra esses patifes da burguesia. Lutar ao lado dos meus camaradas de escravidão. Deixarei Campinas depois de amanhã. E te procuro no dia da minha chegada."

Otávia sorri. Envolve-se na colcha de quadrados coloridos. Tem um livro aberto sobre o travesseiro. A vela da cabeceira brinca com a chama, estragando a vista que procura as letras miudinhas. Ela não lê. Pensa no vasto mundo revoltado pela luta de classes. No setor brasileiro, o combate se aguça, se engrandece.

A integração de tanta gente! A escandalosa adesão do grande burguês que era Alfredo Rocha. Agora, Matilde, que hesitara tantas vezes! Os vacilantes e os próprios indiferentes são empurrados para a questão social. Não é permitido a ninguém mais se desinteressar. É a luta de morte entre duas classes irreconciliáveis. A burguesia se estraçalha, se divide, se esfarela, marcha para o abismo e para a morte. O proletariado ascende, se afirma, se culturiza. Qualquer militante compreende e estuda questões de economia com a mesma facilidade com que uma burguesinha folheia um número idiota de *Femina*.

A burguesia perdeu o próprio sentido. O proletariado marxista, através de todos os perigos, achou o seu caminho e nele se fortifica para o assalto final. Enquanto as fêmeas da burguesia descem de Higienópolis e dos bairros ricos para a farra das garçonnières e dos clubes, a criadagem humilhada, de touquinha e avental, conspira nas cozinhas e nos quintais dos palacetes. A massa explorada cansou e quer um mundo melhor!

Na oficina estridente, Alfredo dá o grande passo anônimo de sua vida. Veste a blusa escura que sempre romanticamente ambicionara e que agora sua ideologia e a sua situação econômica autorizam e indicam. O fogo vermelho lhe ensopa o corpo de suor laborioso e feliz. Finalmente é um proletário. Deixou para sempre a imundice moral da burguesia. Se Eleonora soubesse! Aturdida sempre pelo álcool e pelo primeiro macho com quem dançasse. A decadente típica. Como se iludira casando com ela! Deixara-lhe metade da fortuna. Perdera muito numa aventura editorial. Com o resto, auxiliara a luta. Quanto Eleonora cambaleia na vida, caminhando para a catástrofe, na figura sadia de Otávia ressuscita para ele a companheira forte, pura e consciente que sempre quisera ter.

Entram no cinema Mafalda para ver um filme russo tirado de Górki. As cadeiras populares são procuradas. Lentamente Alfredo lê num jornal as últimas notícias internacionais. Otávia, a seu lado, observa-lhe o beiço inferior, carnudo. A camisa entreaberta mostra o peito de macaco e os músculos. Uma ternura se despega dos olhos bonitos da proletária para a cabeça curva do novo trabalhador. A campainha seca anuncia o filme.

No escuro, Otávia quer arrancar de cada cabeça tácita de espectador, de cada braço silencioso, a adesão às crispações emocionais em que se envolve. Aperta a mão de Alfredo. Mas muita gente não espera o fim da sessão.

Um grupo de garotas sai lastimando alto os dez tostões perdidos numa fita sem amor. As inconscientes que o proletariado carrega. Aturdidas pelo reflexo do regime burguês, pelo deslumbramento de toilettes que não podem ter mas desejam. Dos automóveis de todas as cores, das raquetes e das praias. Alimentadas pelo ópio imperialista das fitas americanas. Escravas amarradas à ilusão capitalista.

Mas, na fila da frente, dois moços trabalhadores se entusiasmam, se absorvem no drama proletário que passa. Um deles falou tão alto que as palavras chegaram inteiras aos ouvidos de Otávia.

— Ninguém compreende aqui este colosso!

▪

Grupos agitam, na manifestação, cartazes rubros, amassados. A tinta borrada dos impressos pede mais pão. E os oradores proletários se sucedem, tomam conta da massa, que invade as ruas do bairro de fábricas com punhos sublevados.

A polícia surge, carrega. Uma mulher pequena fica no chão, gritando com a perna triturada. Os seus cabelos loiros, lituanos, escorrem lisos pela testa suada. Parecida com Rosinha.

— Camaradas! O imperialismo se defende! Cada imperialista manda o seu ópio para a tapeação de nossa mocidade inconsciente. Eles querem é abafar a revolta que leva para a luta os explorados. Os Estados Unidos mandam o cinema. A Inglaterra, o futebol. A Itália, o padre. A França manda a prostituição.

Alfredo sorri deliciado no seio rumoroso do sindicato.

— Minete é imperialismo?

— Camaradas, precisamos ter mais seriedade. A luta se aproxima.

Alfredo, que brincava, empalidece. Um proletário rude denuncia nele invencíveis resíduos burgueses.

— Burguês há de ser sempre burguês!

Otávia aparece na roda agitada, ouve.

Saem juntos. Mas ela se despede na porteira da Inglesa. Encontra adiante Pepe descalço, entrando no Mercadinho do Norte. Está mais homem, os cabelos crescidos.

Não a vê. Penetra no bar para comer alguma coisa. Um sórdido anarquismo apoderou-se do antigo caixeiro de camisaria central.

De delator policial a desempregado crônico, a cáften. Se pudesse partir tudo... quebrar... destruir! Se pudesse deflorar todas as mulheres solteiras!

Meia-noite. Não arranjou quase nada. Vai jantar.

No prato de peixe passeiam moscas. O pão murcho e beliscado se espicha de bruços na toalha de rosas de vinho. Uma mulher vermelha como um miolo de melancia serve. Tem os olhos enterrados nas pestanas densas, e limpa as mãos sujas no avental de zefir. Uma macarronada dormida fumega diante do freguês.

A outra garçonete, pequena e ruiva, passa carregando na espinha a cruz do avental. Tilinta os níqueis do patrão na bolsa de couro. Ri muito para Pepe, chupando um colar de vidros grandes.

Ele lhe pergunta:

— Quanto ganha você?

— Quarenta mil-réis e comida uma vez.

— Boia boa?

— Se fosse! Resto de panela. Um tiquinho assim! Sou o tipo da sardinha. Peso quarenta e um quilos.

Sentou-se à mesa dele, animada. Chamam-na de outra mesa. A espuma dos chopes escorre dos copos e das bocas. Pepe bole com a morena que entrou, borrifada de cores vivas.

— Senta aqui, mulata!

Azulada de pó de arroz, ela sacode nas orelhas grandes argolas de ouro sob o arrepio dos cabelos. A voz mole do bar estremece em gargalhadas.

— Te pago uma cerveja...

— Pro meu amigo também?

Dois garotos claros e bundudos penetram na porta de franjas.

▪

Otávia percebe que gosta de Alfredo. Os seus desvios, afinal, são naturais e insignificantes. Ele não representa para ela só um companheiro de ideal social e de lutas.

A sua integração na causa proletária a alegra como a uma menina. Por quê?

Ele chega. São sete horas da noite. Não há sindicato nem comício. Inútil falsear a situação.

— Você quer ser minha companheira, Otávia?

— Quero.

Beijam-se subitamente sexualizados.

Ela se despe, sem falso pudor. Ia se entregar ao macho que sua natureza elegera. Puramente.

E desde esse dia, dormem juntos no quarto proletário.

▪

— Camaradas! O camarada Alfredo está procurando fazer cisão na massa, temos provas. Com a sua habilidade, ele está querendo tomar a direção do movimento grevista. É um perigo! Ele pende ao caudilhismo! Precisamos desmascará-lo... Inutilizá-lo! É trotskista.

Otávia está gelada. Os acusadores apontam fatos inflexíveis. Desvios. Personalismos. Erros. Todos a fitam diante das provas concretizadas. É verdade. Alfredo se deixara arrastar pela vanguarda da burguesia que se dissimula sob o nome de "oposição de esquerda" nas organizações proletárias. É um trotskista. Pactua e complota com os traidores mais cínicos da revolução social.

O comitê secreto espera uma palavra dela. Ela tem a cabeça fincada nos joelhos. Mas o silêncio e a expectativa a interpelam.

Levanta-se. Os seus olhos refletem uma energia penosa.

— Todos os camaradas sabem que ele é o meu companheiro. Mas se é um traidor, eu o deixarei. E proponho a sua expulsão do nosso meio!

O COMÍCIO NO LARGO DA CONCÓRDIA

Os soldados erguem os uniformes e balançam as espadas sobre cavalos de crise, enferrujados, comidos de carrapatos. Alguns se embriagaram com permissão superior e caracoleiam. Têm ordem de pisar e matar o proletariado irredutível. Marcham em pelotão na direção do largo da Concórdia, pela noite que começa.

— Não temos nem opinião nem vontade. São ordens!

— Se eu mandasse, era o tenente que eu pisava!

Um deles traz uma fita de fumo no braço.

— Minha mulher é operária...

Os vendedores de amendoim se ajuntaram.

— Vai haver frege. Deixa voar daqui.

— Eu vou esconder a cesta e volto pra ver!

O pelotão trágico, pausado, se aproxima da multidão que enche a praça. Encabeça-o um oficial que tirou o revólver.

O soldado de luto é um dos que vão na vanguarda. Vê

a toda hora surgir em sua frente a companheira, no meio das mulheres exaltadas. Subitamente, empina o cavalo, se distancia. Fica para trás...

— Minha mulher está aí. Vê quem vamos pisar! São nossas mulheres! Nossos filhos! Nossos irmãos!

Um atropelo de recuo. Uma garota trágica desaba em vertigens histéricas. O pelotão divide e cerca lentamente a massa inquieta. Mas os investigadores policiais invisíveis penetram na multidão e se aproximam do gigante negro que incita à luta, do coreto central, camisa sem mangas. Ao seu lado, um proletário que tem no peito cicatrizes de chibata detém a bandeira vermelha.

— Soldados! Não atirem sobre os seus irmãos! Voltem as armas contra os oficiais...

Detonaram cinco vezes. Correm e gritam, o gigante cai ao lado da bandeira ereta.

O corpo enorme está deitado. Levanta-se mal para gritar rolando da escada. Grita alguma coisa que ninguém ouve, mas que todos entendem. Que é preciso continuar a luta, caia quem cair, morra quem morrer!

A multidão toma conta da praça, expulsando num trágico minuto delegados, secretas, cavalos...

Levam-no de costas para um automóvel.

A polícia, reforçada, carrega à espada e a tiro.

A bandeira vermelha desce, oscila, levanta-se de novo, desce. Para se levantar nas barricadas de amanhã.

Carlos Marx entra correndo no galinheiro do parque São Jorge. E diz no escuro à avó paralítica:

— Fizeram no papai que nem na Rosa de Luxemburgo!

RESERVA INDUSTRIAL

Sem falar dos vagabundos, dos criminosos e das prostitutas, isto é, do verdadeiro proletariado miserando...

Marx, *O capital*, "Formas diversas da existência da superpopulação relativa"

Corina amanhece no panorama agreste e provinciano da chácara festiva da Penha.

O sol frio enche de luz os cachos lambuzados e sombrios. O tweed cinza do casaco comprido tem as cintilações verdes repuxadas pelo uso. Dois corações de carmim enchem de animação o rosto furado de espinhas. Os olhos espichados da antiga costureira são agora desconfiados e atrevidos. Sumiu-se nos farrapos das pestanas a brejeirice terna de antes. Vê entre os eucaliptos novos raparigas novas que ensaboam com mãos roxas fardas de brim. Uma criança de pernas finas mostra uma calcinha suja de terra, escapando da saia de pingos. Os dentes orgulhosos de outros tempos sorriem falhos e amarelos num carinho. A menina foge. Mergulha as mãos na tina de espuma. A mulata friorenta ajeita o casaco levantando a gola alta até o nariz. Observa parada as lavadeiras de cócoras e ajoelhadas, trabalhando.

Nunca mais trabalhara. Quando tem fome abre as pernas para os machos. Saíra da cadeia. Quisera fazer nova vida. Procurara um emprego de criada no *Diário Popular*. Está pronta a fazer qualquer serviço por qualquer preço. Fora sempre repelida. Entregara-se de novo à prostituição.

Bandeirinhas vivas. O teto rústico cheio de animação. Restaurante. Corina senta-se em uma mesa de pedra, num banco de troncos. Sofre ânsias que vão do estômago vazio à cabeça dolorida. Acende o último cigarro do maço vazio que transforma em papelinhos de cores.

— O que é que a senhora deseja?

É o garçom, pequeno e gordo.

— Por enquanto nada, Paco. Espero um moço que deve chegar.

Corina não espera o homem. Espera o sanduíche. Já sente a mortadela vermelha de grandes olhos brancos no meio da broa quentinha.

O garçom passa pela quarta vez. Repara o gesto assustado da rapariga sentada. Aperta os olhos pequenos num turbilhão de rugas.

— A senhora espera todo o dia e ele nunca vem.

Corina se levanta.

Num balanço, uma criança sem calças lambe as velas verdes do nariz.

— Volto amanhã. Se ele vier... Tem bigode. É português, mas parece brasileiro.

— Se a senhora quer uma pinga eu pago.

— Si aceito... Estou morrendo de frio. Olha. Nem posso pegar na bolsa.

Mostra as mãos duras.

Adiante uma vitrine de broas douradas.

— Mas se você quisesse... Eu prefiro o pão.

Reconfortada pelo álcool quente, faz desaparecer a infantilidade da voz e dos gestos. Trança desembaraçada as pernas sem meias, mostrando o joelho com pontinhos azuis. As rugas do italiano se multiplicam. Da antiga e bonita Corina, agora em trapos, existem ainda as pernas famosas. Não se modificaram. Um pouco mais magras, mas o mesmo tom de bronze, torneadas, perfeitas.

O Tietê turvo. Barcas ancoradas e andando cheias de troncos e homens grossos com camisas altas cor de canela. Ajeitam-se.

A balsa roncando na engrenagem enferrujada. Na moita molhada encharca a fazenda barata do casaco de forro gasto. Os cabelos negros se encaracolam nos cipós. Terra, pedaços de carvão.

O Paco fossa como um porco os seios estéreis de Corina.

— Você não me dá nada?

— Dio cane![14] E a broa e o salame e a pinga? Pensa que o teu pito vale mais?

14 Literalmente: "Deus é um cão". Xingamento em italiano.

A noite encontra mais uma vez o estômago esfomeado de Corina. Aborda triste o homem da avenida Rangel Pestana. Para ela só há uma crise. A crise dos sexos que invade todo o bairro operário. Um velho já lhe dissera:

— Não há nem pra comer, filha. Só se for de camaradagem.

Se ao menos tivesse uma toilette decente, cavaria algum na avenida São João.

Vai até a igreja do Brás. Entra pra descansar. Mil velas iluminam o altar vestido de ouro. Conta todas. Conta nos dedos o dinheiro todo gasto ali. Quantos dias poderia comer com aquelas línguas de sebo escorrendo para os castiçais de prata...

Naquele mesmo banco ela se sentara há muitos anos, numa Sexta-feira da Paixão, vestida de Madalena, com a mesma cabeleira do Carnaval. A mamãe, naquele tempo moça, ganhava muito dinheiro naquela casa de jardim da rua Chavantes.

Os pensamentos contraditórios afluem à cabeça afogada no veludo do banco vermelho. Soletra as letras de um balaústre.

— Ma-da-le-na...

— Será que a santa Maria Madalena passou fome quando era puta?

Ri. Um padre moço, enrolado na batina, aparece na nave redonda. Aproxima-se.

— Este banco é reservado. É proibido sentar nele.

Na porta encontra o cônego comendo amendoim. A filhinha de um mendigo, tagarela, muito trigueira, no meio dos chauffeurs do ponto. Adivinha nos seios, treze anos ou mais. Vende caixas de fósforos.

Ela atravessa a rua. Vê do outro lado, na esquina, um grupo de rapazes no café. Talvez arranje uma média.

O bar todo discute calorosamente. Corina só vê e sente o leite animador e o café requentado. Um pretinho muito vivo grita mastigando uma palha seca de cigarro.

Corina ouve uma voz conhecida sob uma casquete grande.

— Pepe?

— Puxa, Corina! Você está esculhambada!

— Oh, porqueira! E você? Como vai Otávia? E os outros?

— Nem me fale naquela tipa!

— Ela te deu o fora?

— Ela, uma vírgula. Eu é que não quis saber de uma chiveta que dá pra todo mundo.

Os dois, agarrados, vítimas da mesma inconsciência, atirados à mesma margem das combinações capitalistas, levam pipocas salgadas para a mesma cama.

TIPOS Tiempos e Acier
COMPOSIÇÃO acomte
GRÁFICA Lis Gráfica
PAPEL Pólen Bold, Suzano S.A.
março de 2024

A marca FSC® é a garantia de que a madeira utilizada na fabricação do papel deste livro provém de florestas que foram gerenciadas de maneira ambientalmente correta, socialmente justa e economicamente viável, além de outras fontes de origem controlada.